JN106981

ふとん屋整体師の具体術

健康に向かって

健康な睡眠と長生きの秘訣

山﨑太加幸 著
Takayuki Yamazaki

まつやま書房

はじめに

昭和49年、埼玉県東松山市生まれ。
城西大学経済学部卒業、(株)すかいらーく入社、日本医療整体学院卒業
現在、いろは整体院、ふとん山﨑屋の2つの顔を持つ男。
街づくり活性化団体NPOぶらっと東松山の代表理事も務めている。

まずは自分も含め、わざわざ不健康になる人が多いという事実。例えば価格も以前の倍、買うのも大変なたばこ、1本で7分寿命が縮むとも言われているのに吸い続ける人。身体を虐めるのも守るのも自分次第。
私も30歳を過ぎて健康にはだいぶ気を使うようになった。令和という新しい時代、もはや昭和の人は情報弱者になりつつある。しかし色々な情報が乱立して、どれを信じていいか分からない。

要は簡単だ。エビデンス（科学的根拠）があるかないか。例えば「酢」を飲んでも身体は柔らかくならないし、コラーゲンを摂っても肌はツルツルにはならない。そしてコンドロイチンを摂っても膝の痛みは消えはしない。であれば健康オタクでも目指して実践し、本当のことを身に付ける。そうすればお客様や患者さんとの会話も弾み、少しでも自分の身体を大事にしようとする意識を持っていただくことに繋がるのではと考えるようになった。

私は開院当初から「理論に裏付けられた施術」にこだわっている。見よう見真似で施術はしない。このアプローチはどんな事に効果があるのか、検証してから取り入れるようにしている。数えきれない程の手技療法セミナーに参加してきた。胡散臭い技もたくさんあった。

私も基本的に黙って人様の身体を整体することはしない。下手したら手より口の方が動いているかもしれない。商売柄なのか、高齢化の影響なのか分からないが、60歳以上の方々と話す機会が増えた。まあだいたい病気と薬の話しばかりだ。

お腹の出ているオジさん、腰の曲がったお婆さん、様々な事を私が15年近く実践し、体現した知を皆様に伝えたい。夜更かし、過食、喫煙、飲酒、運動不足、分かっちゃいるけど止められない。そんな事はとっくに知っているよと思うかもしれないが、改めて思い返して読んでいただきたい。

この整体業界で身につけた知を独自に考え、アレンジして分かりやすく、この世に広めたいという想いで執筆をした。本当に身体を揉んで治るのか？　患者の特性を見抜き、心を変え、行動、習慣を変えることに重きを置く我が整体。

まずは己の知をアウトプットすることで、自分の知を棚卸しできる意味もあり、足りない知を身につける良い機会でもある。施術中に同じような事を言ってたなと思い返していただき、復習になれば幸いである。

編集・出版にあたりご協力いただいた「まつやま書房」様には、心より厚く御礼申し上げる。

山崎太加幸

◎　もくじ

第三章　百歳あたり前の時代……45

第四章　体温を1℃あげよう……61

第五章　人生の1／3は眠っている……77

著者 山崎太加幸のランニング①～

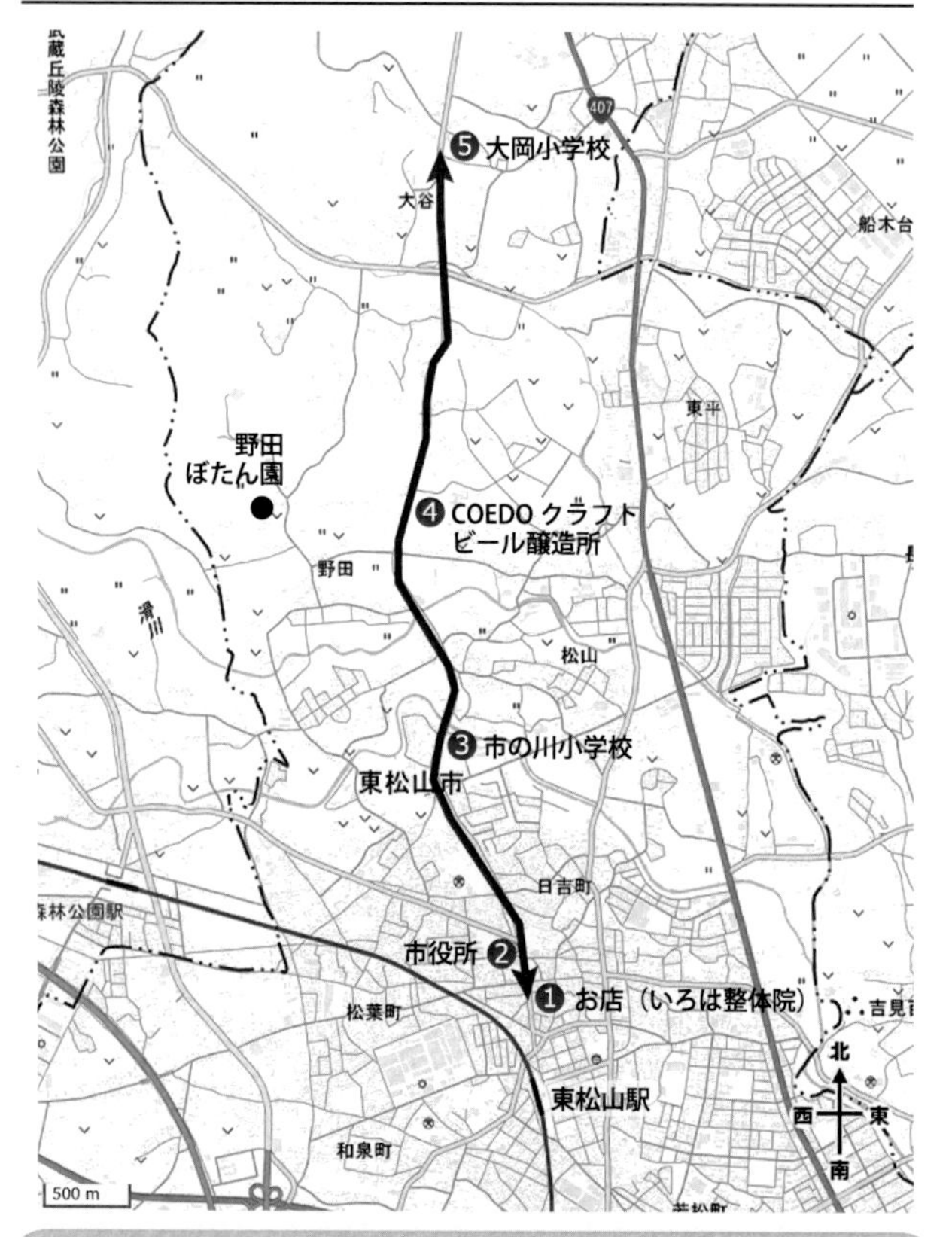

①お店（自宅）～　②市役所～　③市の川小学校　～
④ COEDO クラフトビール醸造所（旧リコー）～　⑤大岡小学校

往復 10 キロである。お正月の東松山元旦マラソンのコースでもある。そこそこ起伏があるが、歩道もあり、信号も少なく、コンビニもあり気持ちが良い直線コースだ。余裕があれば「ぼたん園」をまわったり、子ども達も私も卒園した桃の木保育園に寄ったりする。

第一章

誰だ？ 山崎太加幸って

†走る整体師の所以

飲食業から脱サラし、生まれ故郷の東松山に戻り、家業を継ぐ決意をした。30歳そこそこで、子供3人、まさか自分がふとん屋をやるなんてと当初は思いもしなかった。地元の商工会、商店会、町内会などやたら同じような面倒なコミュニティーが待っていた。

青年部で駅伝に出るから出てくれというお誘い、年上の全く知らない人からのお願いだった。その時に任された区間はたったの2キロ程度、シューズもウェアも何もない。大学卒業してから一切運動はしていないが、2キロくらいならと軽い気持ちで参加。自慢ではないが、高校大学時代から体型はほぼ変わっていない。おそらく見た目だけで駅伝に誘われたのであろう。

そして何日か前から自主練習していざ本番、途中でまさかの中学生に抜かれ、最後は全く足があがらず走れない。中学、高校、大学とバスケットボールをやっていたが、いつまでも若くない、走れると思っていたが体力はこんなにも落ちるのかと痛感した。今思えば中学生に抜かれるのはあたり前だったかも。

その時は何だか悔しくて駅伝大会が終わってからも、体力回復のため毎朝ジョギングを続けた。自然と子どもの成長と競争している自分がいた。例えば1キロ走で長男小6の時、まだ勝てた。長男中3の時、追い越された。悔しいが嬉しかった。練習も少しずつ距離と時間を伸ばし、3ヶ月程で10キロ走れるようになった。そして摩訶不思議なことに、マラソン大会へもエントリーするまでになっていた。

また、たくさんの怪我もした。それが患者さんの気持ちや痛みが分かるという面では良かった。「医者も風邪をひく」ではないが、自らの身体でこういう時はこうすれば良いなとか、実践して学べた。

我がマチ紹介

我が東松山市は、埼玉県のほぼヘソに位置し、人口9万人程の都市である。都心まで東武東上線で50分、通勤者のベッドタウンでもある。正月と盆、GWでは関越自動車道が大渋滞になる有名な所でもある。毎年11月に行われる日本スリーデーマーチというウォーキングの国際大会は、世界中から健脚者が集う。

関東最大規模のぼたん園、県営こども動物自然公園、隣町には国営武蔵丘陵森林公園もあり、遠く見渡せば山も見える自然豊かなところである。箭弓(やきゅう)稲荷神社はプロ野球選手や甲子園球児も訪れる由緒ある神社だ。ノーベル物理学賞を受賞した梶田隆章先生、元労働大臣の山口敏夫氏など著名人が生まれた地でもある。密かに仮面ライダーのロケ地でもあり、ファンには聖地である。

また東村山市と東松島市と漢字が似ているのでよく間違えられる。

†どんな整体をするのか

ありきたりの一般的な柔法、中国推拿という手技である。日本で言えば按摩と同じだ。しかし日本では按摩は国家資格だ。マッサージとは違うのかとよく聞かれるが、やり方は同じです。我々はそのマッサージという言葉が使えない。この辺の説明は薬事法・あはき法という難しい法規からお調べください。

あと数年すれば、うちの倅たちが鍼灸あん摩師、作業療法士を目指しているのでそれらの問題は解決するだろう。政治的な話になるが、予防医学（整体等）にも保険適用になるよう法を改正できれば簡単なのだが。また現在施術には機械や道具は一切使わない。あえて言えば、敷いてあるマットがＡＩＲやドクターセラである。これらについては後で説明申し上げる。

　整体とは単純に身体を整えること、医師ではないので治すことではない。良くなるお手伝い、不調の緩和とまでしか言えない。ぎっくり腰で階段をやっと上がって、藁をも掴む想いで来られる方がいるが、申し訳ないけど直ぐに痛みはとれない。ここに来れば痛みが取れると、まだ私を手品師と思っている方がいるようだ。骨盤を矯正すると謳っているが、ボキパキはしない。整体とは、自律神経を整え、代謝や免疫力を上げて、症状緩和、不調や疲れを取り除く。同時に推拿は、経穴経絡を刺激し、気血の流れを良くする。

　世界中には百以上の施術手技があるようだが、私も全部は知らないし、出来ない。その人に合わせ、良いとこ取りの手技で施術している。

†何故ふとん屋で整体師に？

実は我が家は、大正時代から創業百年を超える老舗のふとん屋である。当時は毛糸やボタンも扱い、綿工場まであった。今は羽毛ふとんが主流で、健康寝具と言われる天然繊維、凸凹ウレタン敷きマットレス等がほとんどである。先で述べたＡＩＲや整圧、ムアツというものだ。また、温熱電位の敷ふとん、温泉ふとんと言われるドクターセラも良く売れている。正に病気予防寝具である。私も小さい頃から良い寝具で寝ていたのは事実だ。

当店のような寝具専門店（西川チェーン店）が格安商品の量販店の寝具と対等に戦っ

ていても仕方ないということで、身体に関する専門知識を身につけようと整体師の資格を取りに行ったのが理由だ。身体の状態を診るのは勿論、睡眠に関する知識、まくらの合わせ方、寝姿勢をみて敷きふとんを合わせる事など、解剖学以外も身に付けた。

私は学校へ通うのに距離が遠く、皆と違う都内の整体専門学校へ行った。今思えばこれが正解だった。

全く無知な自分には本格的な治療系のところで、当初は人の身体を触ることすら怖かった。約1年半通い、手に技を身につけ、この業界でも飯が食えそうだと、自宅倉庫をＤＩＹして整体院開業。

コツコツとビラ配り、ホームページ開設、できることから集客をはじめた。いくら勉強してもやはり今思えば、技術は臨床数、集客は経営、これこそ究極の接客業だなと感じた。

今では全国津々浦々、同じ西川チェーンのお店の集客催事（イベント・展示会）に整

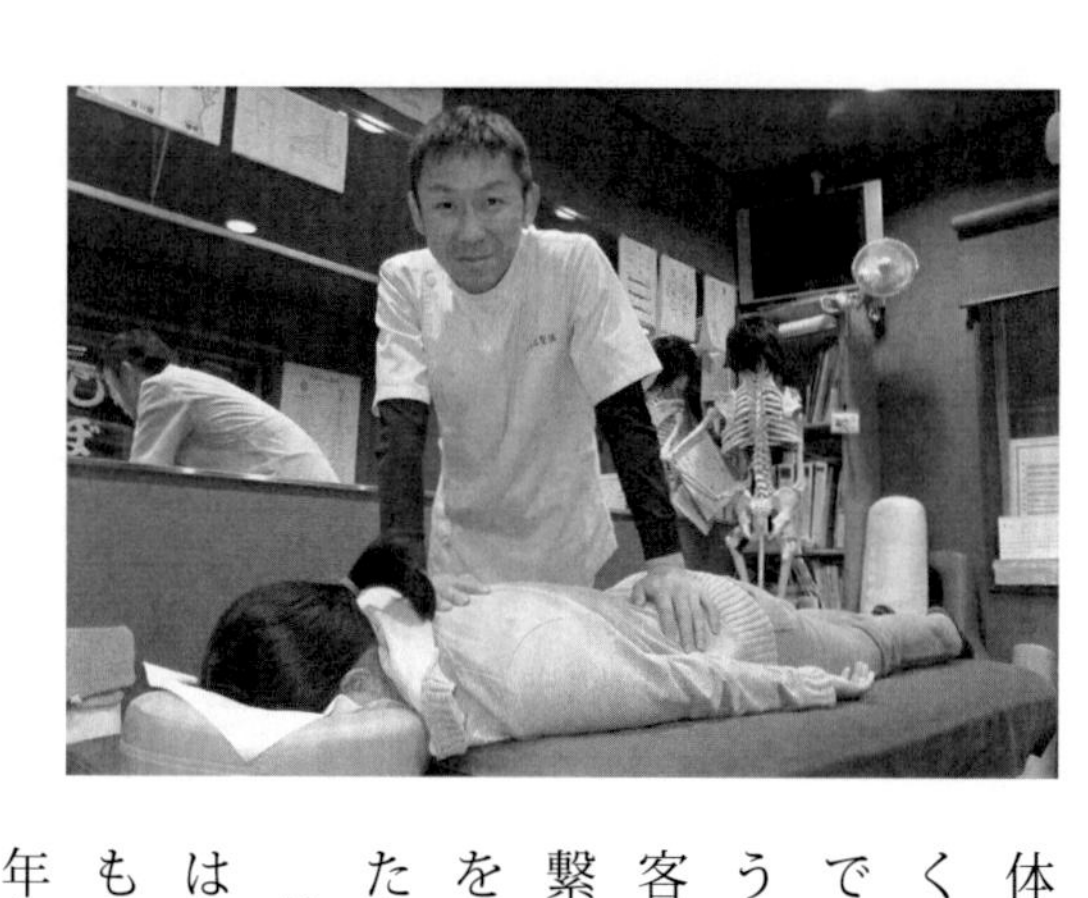

体師としてお手伝いに行っている。年間で90~100日近くは東松山を離れている。各地の布団屋さんのお客様でも、はじめから接骨院に来たのでは、と思わせるような身体の悩みを持った方が多い。簡単に言えば、お客さんの身体を診て、揉んで健康寝具を勧め、販売に繋げる。極論、寝具はクスリ。毎晩6~8時間は身体を寝具に預ける訳だから、身体に合う良いものを使った方が良いに決まっている。

整体しながら布団販売、僕と同じような職を持つ人はなかなかいないが、整体院をやりながら、寝具店でもあるオンリーワンの仕事であると自負している。何年も続けていると、全国各地で半年~1年に一度しかお邪魔しないのに、私を待っているお客様もいる。本当に感謝に堪えない。勿論わたしもお客様が百人いて、百人に満足されているとは思っていない。一見さんだった人は、単に私の施術なりがお気に召さなかったのであろうと。

当初は揉んで治そうとしていた、しかし我々は医業類似行為にあたるので、先に述べたように「マッサージ」という文言も「治る」ということも言えないのだ。民間療法なので保険証も使えない。ずるいが「良くなるよ」程度しか言えない。この時点ではまだまだ素人整体師であった。

†実はファミレスの店長だった

私は大学を卒業して大手外食産業に就職するという一般的な道を歩んだ。当時は飲食業が好きで学生時代のバイトもそうだった。今でももちろん料理はするし、時間とお金と身体に余裕があれば飲食店はすぐにでも出店したい。

20代の頃は今で言うブラック企業で不規則な勤務体系であった。朝5時出勤もあれば、夜20時出勤、残業100時間以上は毎月当たり前、売上低い日は出勤しているのに有給休暇。今思えば若さで身体も持っていたのだろうと感じる。

店長一人で2店舗受け持っている人もいた。概ね昼12時前に出勤し、何もなければ

22時過ぎに帰れるが、朝5時までだと家に帰らず、そのまま駐車場の車で仮眠して出勤とかよくあった。今は寝ずに働くという時代は大間違い。そんな時はやはり、ちゃんと睡眠がとれないので従業員にもピリピリしていた。店の雰囲気も悪く悪循環であった。

あの頃同じ店長職の40代の先輩を見た時、「私も40歳になっても、このまま同じ店長職なのかな？」と考えるようになった。サラリーマン定年60歳の人生、このまま60歳までこの仕事ができるか？　無理だ！　まともに年金も貰えるか不安な世の中、せめて70、80歳まで健康で元気に働きたいと思うようになった。

実際、今はどうか。45歳、もう15年で60歳、白衣着てヒゲはやして白髪の仙人のような整体師かもしれないし、ネクタイしてエプロンかけてふとん屋店主かもしれない。あと10年したら、修行を積んだ倅たちに整体院を任せて、更に大きくして地域に貢献できる治療院にしてもらいたい。

†裸足の生活をしよう

私は身体の歪みを作るのは、土台である2つの足だと考える。二足歩行する人間は常にバランスを取りながら2本脚で立っている。その場でじっと立っていてと言っても、小刻みに揺れているはず。足裏の重心、歩いた時の着地、誤った靴選びなど、足へのストレスは計り知れない。

家の中では、夏冬も関係なく、素足で生活するべきである。ご存知であろうが私は基本、院内では季節関係なく素足である。寒い、痛いなど様々な障害を克服して環境順応力をつける。地元のある小学校では、強制ではないが登校したら上履きを履かずに素足で授業を受け下校まで過ごす。5月の運動会はみんな裸足であった。

私も過去、その学校で少しだけ素足の教育に携わった。教員向けの指導、アドバイスに、実際子ども達に体育館で素足の実践フォローなど行う。まず最初の一言、「先生が裸足にならなきゃ駄目でしょ！」と。翌日から半分程度の先生は裸足で授業を行うようになったが、午前中でふくらはぎがパンパンになったと仰っていた。

裸足の効果として、小学生くらいの子までなら、短距離（50m位）と跳躍（ジャンプ）は、靴を履いている時より、裸足の方が記録が上というデータもある。よく赤ん坊に靴下を履かせても、すぐ自ら脱いでしまう。暑いのか分からないが自然の摂理なのだろう。

足には左右合計56もの骨がある。全身の骨の1／4は足にあることになる。これらが足裏アーチといわれる衝撃吸収、バネの動力、安定のバランスなどを司っている。本来の足の動き、感覚を、靴下やシューズが邪魔をしてしまっていることになろう。

昔のマラソン選手のアベベではないが、私は２０１４年の東京マラソンに当選し、道着に黒帯を締めて裸足でフルマラソンを完走した。容姿はまるで格闘家であった。真冬の２月なのでアスファルトは冷たく、30キロ以降は足裏に血豆もできて地獄であったが、あの注目度は凄かった。終始沿道からの声援は「すげー、あいつ裸足だよ！」と、気持ちよく楽しかったのは30キロまで。楽しく痛い42キロだった。

今のトップランナーは、厚底の反発が強いシューズで記録を出している。いつだかの水泳界のスピード水着ではないが、陸上界の靴のドーピングだろうか？　実はあの靴というギプスが本来の足の動きを阻害してしまう。しかし記録を求めるならばもう、道具に頼るしかないのだろうか。

†素足感覚のシューズと出会い

五本指靴下にゴム底を付けたようなシューズである。ビブラムファイブフィンガーズという製品だ。有名スポーツブランドでも同じような似たような商品は出している。見た目のインパクト、カラーリングはコテコテの海外版。すれ違う人は皆、二度見をする。

試しに一足購入して走ってみるが、すぐに今まで感じたことのないヒラメ筋辺り（ふくらはぎ）が痛くなった。ほぼ裸足でいる状態で、足裏の感覚も地面の凹凸を感じ、着地が踵からではなく、フォアフットと言って、自然と趾（あしゆび）つけ根辺りになるのだ。いわゆる短距離走の足の使い方だ。トップランナーの着地が自然とできる。

一番良いところは、趾に意識がいくところで、地面を掴んでいる感じがする。

結構多くの人は足指でグーチョキパーが出来ないもので、特に小趾（小指）が開かず動かない。手のグーくらい（握り拳）に本来は足指でグーも曲がる。若い方が街でもビーチサンダル履いているが、鼻緒のあるものは、実は足の動きにバツグンの効果がある。昔の草履がそうで、足袋もそれに該当する。

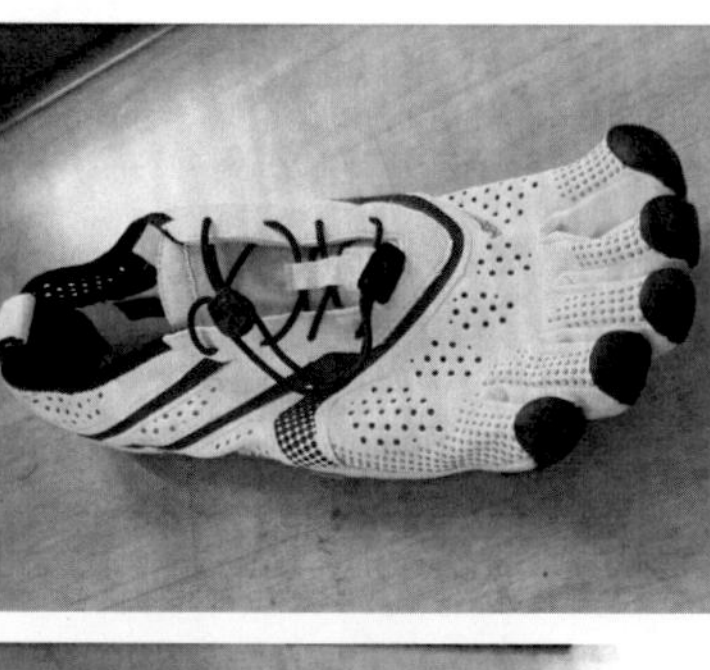

　靴というギプス内では、やはり足指は開放されないし、動き

も制限される。鼻緒があることにより、足底筋が鍛えられ、母趾（親指）に力が加わり、足裏の重心があるべきところへ戻るのだ。自然と着地も蹴力も変わります。靴に頼っているのだから、最初は疲労が出ることだろう。

靴も善し悪しがあるが、実際なかなか裸足で街を歩くわけにいかないのが難点。

魔法の靴

令和2年正月、箱根駅伝で10区間あるうちの区間新記録が7つも更新された、信じられないことだ。気象条件も良かったのだろうが、噂されているNIKEの厚底シューズが勝因ではなかろうか。

どんな構造なのか、専門的な見解は不明だが、カーボンプレートや反発力あるソールが推進力を増すのだろう。実際に令和元年の全国高校駅伝の1区の10キロでは28分台が一気に7人も出た。

過去10人程度しか28分台を達成した高校生はいないのに、しかもトラック競技場ならわかるが、今回はロード（外の路上）でもある。やはり殆どの選手がNIKEの厚底シューズであった。

第二章

日本人特有の身体

†カラダの歪みは誰にでもある

皆さんに利き手利き足があるように、左右正対称な人はいない。当院に来られれば、右肩が上がっている、右脚が長くなっていると言うのはよくある話。だからといって、それを揃えることが整体ではない。「え?」と思うかもしれないが、仮に揃ったとしても何日かたてば元通りになる。

「●▲で一発で治してもらった!」など聞くが、正に騙されている。やはり原因はご自身の癖や習慣が主であろう。それを見つけない限り痛みが取れたり、身体が揃うことはない。

トップアスリートなどを診ることがあるが、さぞかしお手入れされた素晴らしい身体かと思いきや、驚くことに歪みまくりだ。この方々の歪みを揃えてしまったらどうなのか、今までのベストパフォーマンスは出せないのではなかろうか、ということである。歪みなく、前後左右正対称な身体が良いというわけでもない。

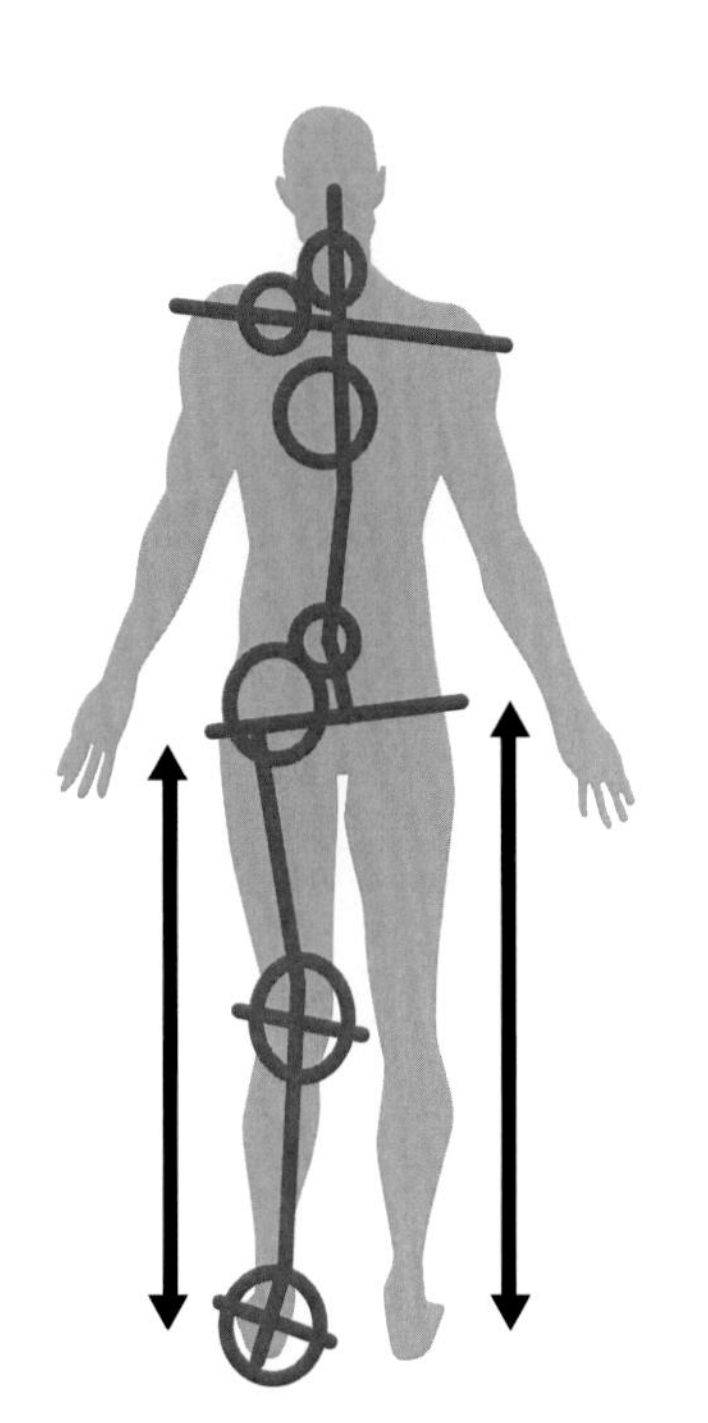

もしいるとすれば、それは産まれたばかりの赤ちゃんだけだろう。揃わず歪んで曲がっていた姿勢が、今までの普通で正常な状態であったので、歪みのない真っすぐなキレイな姿勢になったとしても、最初はそれに違和感を感

じるはずである。

　何度かの施術の積み重ねや、自身の特徴の発見で徐々に揃っていくことはあるだろうが、年齢や個人差もあり、施術歴十年以上たった今でも私には難しい課題である。その歪みが痛みや不調の原因だとも未だ確信できない。患者さんの特性が聞き出せたら玄人整体師だと思う。

†外国人は肩がこらない？

「コリ」という表現が難しい。硬いということなのか、痛いということなのか。肩を揉んでる、揉まれている外国人は確かにあちらこちらにいるが、そもそも「肩こり」という英単語がない。無理やり訳せばStiff shoulder（肩が痛い）、Shoulder tired（肩の疲れ）とかだろう。

誰でも肩を揉まれれば気持ちが良いはず。肩こりというのは、日本特有の病いで、同じ人間、他の国の人でも必ずあるはずだ。しかし言葉がないので表現できないのが現状となっている。硬い柔らかいではなく、気にするか気にしないか。左右の差が生じた時、首の神経に異常が出た時など感じやすくなる。圧倒的に肩こりは女性の方が訴えてくるが、触ると柔らかいのだ。断然男性の方が肩も触ると硬いが、あまり気にしていない。このように肩コリは左右の違和感の生じ方、差がある時になる。

肋骨に肩甲骨と鎖骨が乗っかって腕を吊っているだけなので、腕の重さ、重力が肩全体にかかるので、日常でもそれなりの負担がかかっていることは確かである。

まだ海外では整体というのはあまり浸透していないのか、エステのようなオイルを使うものが多いようだ。マッサージの本場のタイなどは、1時間千円くらい（チップ別）だろうか。

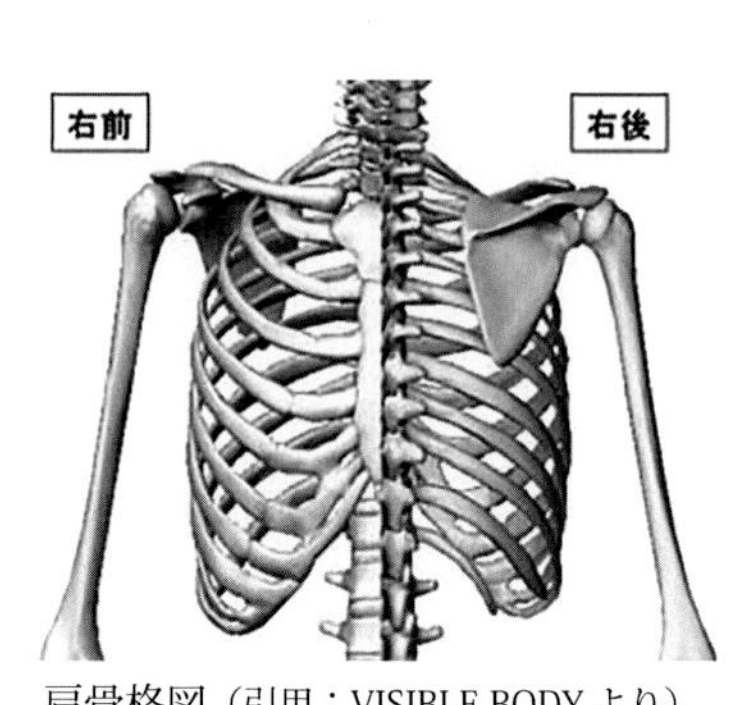

肩骨格図（引用：VISIBLE BODYより）

†ラジオ体操を侮るなかれ

昔から夏休みの風物詩とも言える、ラジオ体操。今では学校でもあまり教えないし、やらない。理由は不明だが、関節の動きなどよく考えられた体操だと思う。正に日本の国民体操ともいうべき文化や伝統だと思うのは私だけか。

「毎朝会社で朝礼の時やっていた」という、定年を過ぎた患者さん、40年間続けたという身体は見事なもの。そうしたやる機会があれば、ぜひ遅くないので続けて実践していただきたい。たった4、5分の体操でも久しぶりにしっかりとやれば汗もかくし、ひどいと筋肉痛になる人もいる。こうした行動が習慣になれば、身体も自ずと変わる。

1日プラス1000歩運動という試みを筆者の住む東松山市では推奨している。今の日常的な歩数にもう1000歩以上歩こうということだ。毎日余計に1000歩、時間にして10分程度、距離にして1キロをやるだけで、病気予防につながり、歩かない人に比べ医者へかからない人が多いというデータもある。腰痛の人は歩いたほうが痛みが消えるともいわれている。

要するに、身体を動かす、運動はあらゆる病気や怪我にとって有効的な治療法といえる。

†世界で通じる身体へ

今でも連載しているが、僕の小さい頃の漫画で「キャプテン翼」というサッカー漫画は有名だ。あの頃は日本がサッカーW杯に出場なんて夢のまた夢だった。

日本のサッカー界といえばキングカズこと三浦知良(かずよし)さんしかいない。50歳を過ぎ今でも現役で、一度お会いしたことがあるが、当時47歳でも足の筋肉は一流だった。MLB(メジャーリーグ野球)、NBAバスケットボールなど、日本人の体格では全く通用しない。

しかし徐々に対応できる人材が出てきた、それは外国人とのハーフである。もちろん純日本人でも活躍している選手はいる。見た目は外国人、名前もカタカナと、ややずるい感じはするが、戸籍上日本人とのことだ。同じ人間だが、ＤＮＡや身体能力、生活水準が多少違うのだろう。

そもそも筋肉の付き方が日本人ではありえない。海外でプレーしている人に聴くと、食事やトレーニングでは、日本の施設、練習内容の方が質は高いという。おそらくそこは性格のアバウトさ、生真面目な日本人の表れかもしれない。競技によっては世界一になれる日本人だが、まだまだ身体の筋肉では平均して劣る。

†天気の崩れは身体の崩れ

梅雨時や台風が近づいてきた時、いわゆる古傷が痛むとでも言うのか、ひざが痛い、腰が痛い「これは雨が降るな」と、気象予報士並に的中させる人もいる。不思議だがこれも日本人特有の病だ。これは湿度や気圧、温度差も含め、それらが原因で、自律神経の乱れかと思われる。春秋の季節の変わり目でも起こる。

こんな時、整体院は駆け込み需要が増え、「雨が降れば整体屋は儲かる」なんて言葉を勝手に作ってみる。酔い止めの薬を飲んで散らす人もいるが、オススメはしない。あえてお風呂やサウナで汗を流すのも効果的である。ダラダラ寝て天候の回復を待つのは避け、身体を動かした方が、誤魔化しではないが症状は緩和されるのでお試しあれ。

新型肺炎コロナウィルス

原因不明の肺炎が中国武漢から広まっている。まだ薬も治療法もない、死者も出ている。元気で健康な人であれば、自らの免疫力で対処できるはず。人の身体は治るように出来ている。早いか遅いか、強いか弱いか、その人の栄養、睡眠、体力の差で違う。

野生の動物を見ていれば分かる、野原に病院なんてない。怪我をした時は木陰に隠れて敵から身を守りペロペロ舐めながらじっと治るのを待つ。これぞ野生界の治癒、消毒と安静なのだろう。

(令和2年1月時点)

†好転反応が大事

こんな整体でも起こる現象。

1時間程度、身体を揉まれただけで気だるくなったり、眠くなったり、中には下痢したり、発熱したりと様々。筋肉がほぐれれば、自ずと血流が良くなり、老廃物が体外へ出やすくなる。なので、ほとんどの方はその後の尿は黄色くなっていたりすると思うだろう。ほぐれた筋肉にドクドクと血が流れ出すと、それをしびれと感じたりする人もいる。東洋医学ではあたり前の、快方へ向かう過程の一つなので心配はいらない。

あの整体院行ったら余計に痛くなったよ、変な感じになったよ、なんて言われるのも嫌なので、施術後は必ず言っている。

よく銭湯や、温泉場のマッサージみたいなのを受けた方が、痛かったと聞くが、あたり前。それは入浴でポカポカした身体の血行が良くなっているところに、既にほぐれている筋肉に、追い打ちをかける感じで揉まれたら、そりゃ痛いだろう。

私がアドバイスするならば逆にして、マッサージを受けてから入浴して汗で老廃物を出しましょう、とでも言うだろうか。その後はひと眠りして身体もスッキリすると思われる。お風呂に入って身体も温まり、気怠いところで身体を揉まれても眠ってしまい、後悔するだけなら、整体↓風呂の順番となる。

ぜひ機会があれば、入浴とマッサージを逆にしてお試しあれ。

†四十肩、五十肩とは？

肩関節周囲炎が主で、石灰沈着性腱板炎、腱板断裂など似た症状もある。整形外科でもコレだとは一概にいえない。対処法がほぼ同じなので、四十肩五十肩だね、と済ませてしまう。

肩は動きが大きな関節なので、どうしても痛みが見つけやすい。同じ動作でも手のひらの向きが違うだけでも使う筋肉も変わり、痛みも変わる。

通常は初期であれば、三角巾などで骨折した人のように腕を吊るしておいた方が良い。腕も外して計ったことはないが、割と重いはず。寝ていてもズキズキ痛みで起き

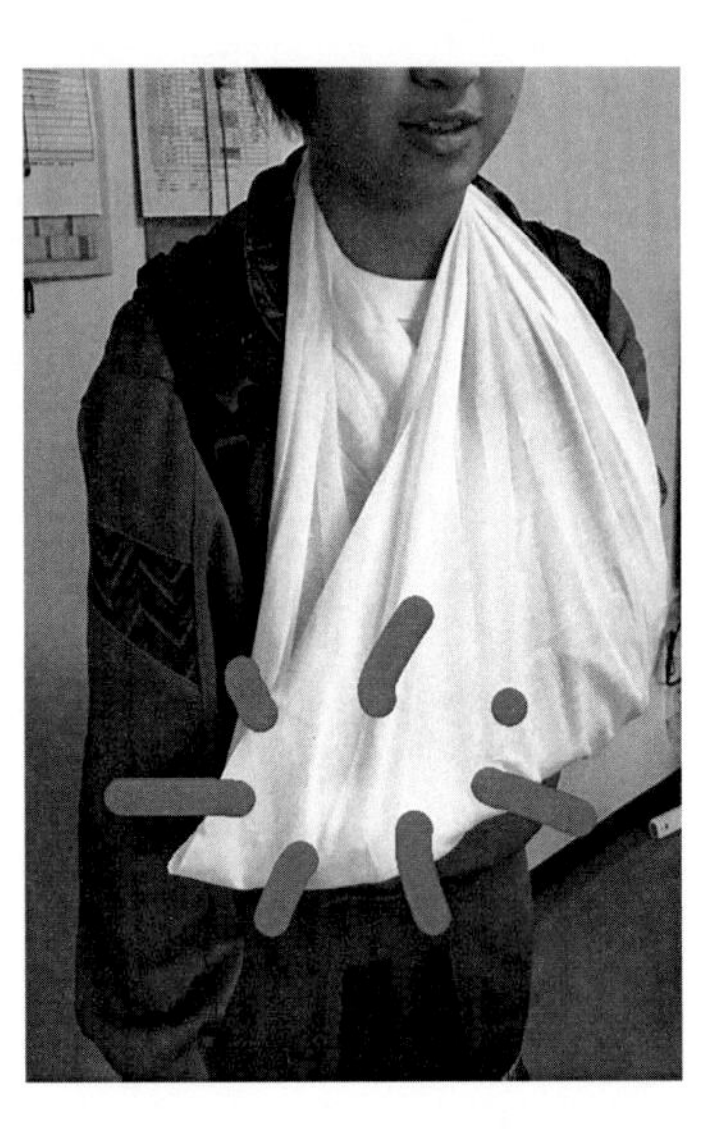

てしまう時期だ。
痛みが引いてきたら、リハビリで動かし始める。それまでは痛みを探さないことが重要。どうしても人間は怖いもの見たさで、治ったかなと動かしてしまう。これが治癒を遅らせる一番の原因である。
特に肩は、痛いのに無理して動かしたら、そりゃ痛い。余計にひどくなりそうだ。
近年、60歳、70歳を迎えてからなる人が平均して多い。先日80を過ぎたおバアちゃんが「私はもう80だから違うでしょ」なんて言っていた。日本は何でも高齢化している、長寿国のいい例である。

第三章

百歳あたり前の時代

† マラソンを人生に例える

マラソンはよく、30キロからがスタートだとか、30キロの壁などいう。私も42.195キロのうち気持ちよく走れるのは30キロまでだと感じる。たいていのランナーはそこから落ちる。人生でいうと60歳くらいだろうか。30キロ以降、歩き出すランナー、逆にスピードを盛り返すランナーもいる。

私も今まで30本以上フルマラソンを走った。途中でリタイアもあるし、自己ベストを出す時もあった。単にその日のコンディションだろうが、それまでの準備、気持ち、ピーキングの状態等色々あるが、心の状態が一番だと思う。

走れるのに駄目だと思えば走れないし、限界を超えていても、イケると思えば走れるものだ。走っている時に、様々な事を考えます。「まだ10キロかー」「トイレ行きたい」「あの人面白い格好だ」「きれいな景色だな～」「座りたい」などなど。

長男が高2の時、一緒にフルマラソンに出たことがある。バスケ部で部長もやっていたこともあり、毎日の朝練前に、真冬の真っ暗な朝5時から一緒に自主練習をした。高校生がエントリーできる大会は少ないので、小さな大会だったが、初マラソンで部門別1位になり、しかも3時間54分位となった。高校の時にフルマラソンを完走したという事が彼の一生の思い出になる。その後も3年時に卒業記念で友人と参加した。

私は昔、ＰＴＡ会長の時、卒業式の祝辞で子ども達にこう述べたことがある。「マラソンはゴールの仕方で全く変わる」。例えば目標タイムを達成出来た人、練習の成果を発揮できた人、長すぎてゴール出来ない人、ただ単に完走できた人など様々だ。どんなゴールにするかは自分で決めようと。感動、悔しさ、反省など色々出てくると思います。

話は戻るが、およそ元気なのは30キロ、60歳まで。どんなゴール、例えば90歳をどう向かえるのか、今から決めておいたほうが良いと思う。歩き出すのか、走り続けるのか、諦めずにベストを更新するのか。マラソン経験のある人なら分かると思うが、ベストを出すため万全の準備をして素晴らしいゴールをしたら、どれだけの感動が待っているのか。

生まれた時点でスタート。あなたは今何キロ地点を通過したのだろうか？

†平均寿命より健康寿命

今後、日本人の平均寿命は、私は伸びなくなると考える。今がピークではないだろうか。何故なら私を含め、現代の若者たちはどうか。苦労を知らない、長生きできる生活をしているのだろうか。

30、40代の男女とも日常的に運動する習慣があるのは、驚いたことに3割程度というデータがある。１９８０年以前は80歳を過ぎたら、ご長寿で凄い時代だった気がする。あれから先進医療の発展もあろうが、百歳当たり前の時代が来た。延命治療なのか、病院で寝たきりの人も多いだろう。しかし元気で健康で人様のお世話にならないで百歳を迎えることが今後も重要だ。いわゆるピンピンコロリ。

とあるデータでは健康寿命が男性は71歳位、女性で74歳位であった。この健康寿命を伸ばす事が我々の役目だと感じる。不健康だと分かっていても不健康なままでいることが良くない。

１９４５年以前に生まれた方々は様々な苦労を知っている。それは戦後の食糧難、敗戦からの高度経済成長を成し遂げたことが言える。残念ながら今は経済成長も停滞気味、平和ボケしているのかもしれない。そしていつでもどこでも美味しいものをたらふく食べられるご時世。

そして先から述べているように運動不足、確かに都内の駅は混んでますし広い、疲れる。反対口まで10分歩くこともある。元気なのに階段を使わずエスカレーターを使い、ちょっとの距離でも自動車で移動、これでは健康的な生活習慣とは言えない。病気予防にも繋がるので今すぐ生活習慣を改善すべきである。

歩くだけでも、やれることを、早めに実践してもらうよう我々もこうした取り組みを普及させたい。

2014 年の日本人の**平均寿命**は女性 86.83 歳、男性 80.50 歳

健康寿命 2013 年は女性が 74.21 歳、男性が 71.19 歳

※日常的に介護を必要としないで、自立した生活ができる生存期間のこと。

健康寿命と平均寿命の差　男性 9.3年　女性 12.6 年

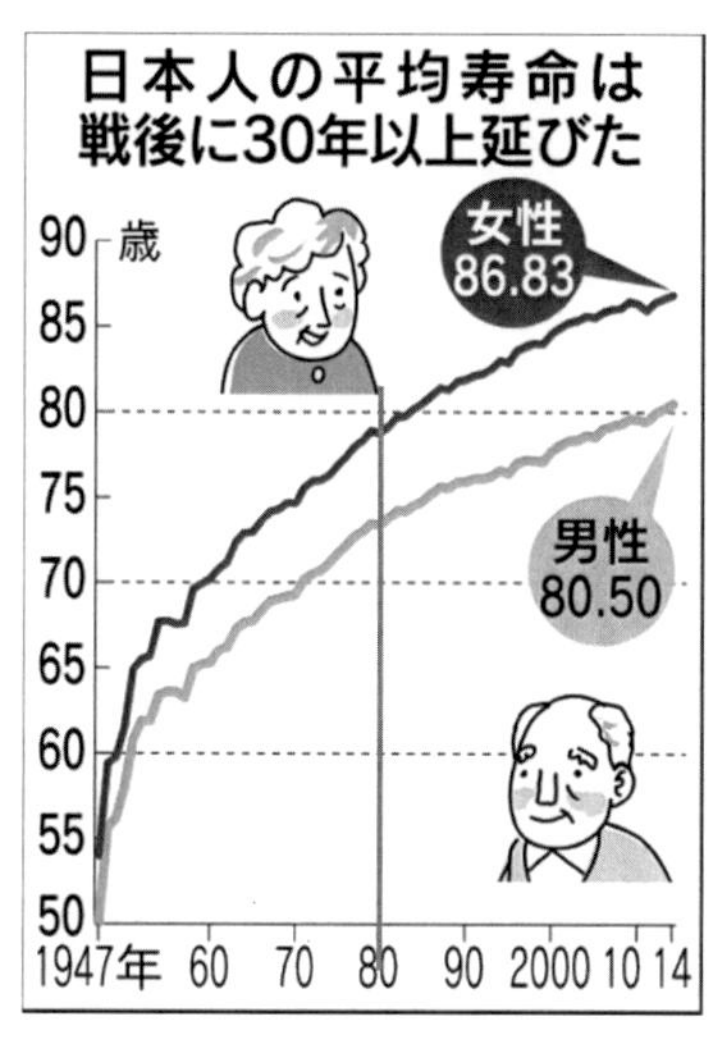

男 73.35 歳、女 78.76 歳

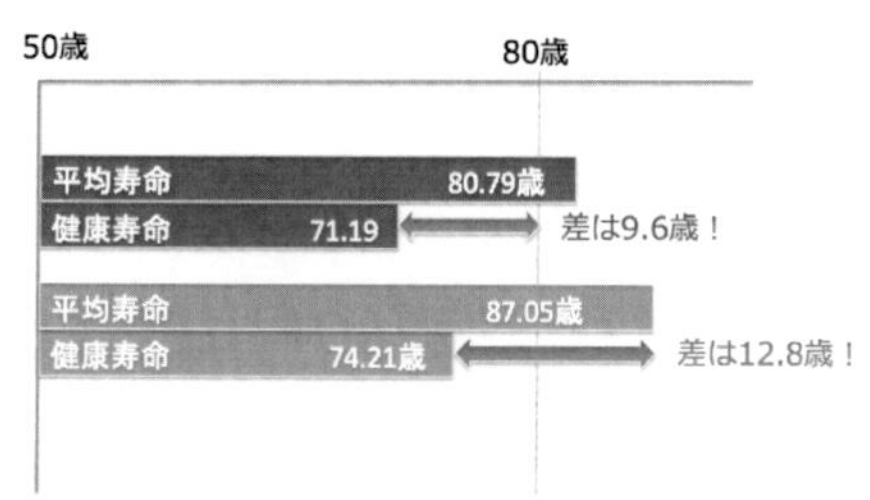

日本経済新聞 web 版 2015.7.15 付より引用

†寿命は友達の数

人との会話は認知症の予防にもなる。

ある統計では、一人暮らしの高齢者が1週間誰とも会話しないことがある割合が男性の方がやや多く、15％程いる。驚きだ、長寿県である長野県では、地域での生涯学習が盛んだというデータもある。やはり、サークルなど人とのふれあい活動は大変重要なことはわかる。そのような活動も多ければ、自ずと友達の数も増える。2025年には65歳以上の5人に1人が認知症になると推計されている。とんでもない世の中になってしまう。今のうちから高齢のおひとり様対策、無駄な医療費を使うより、地域のふれあいの場にどんどん費用を充てるべきである。

毎日ひとりでＴＶと会話でも良いが、昼間の情報番組に必要な情報は1割程度ともいう。後はコメンテーターの辛口批判。毎日聴いていたらおかしくなって、自分の性格も変わってしまいそうだ。近所のお隣さんと他愛もないことを話していた方が、地域の情報もリアルタイムに入ってくる。

遠くの知人の生存確認も大事だが年賀状や、たまに電話する程度で十分だ。地域コミュニティの場が会話する役目を果たすので、老後は本当に大事になってくる。

†ネガティブな言葉は危険

ドクターショッピングという言葉があるように、病気を探している人がいる。調子が悪いのに原因がわからない人だ。何かしら診断を出してもらいたい、病気じゃないのに病気になりたいのか。そのままだが「病は気から」というように、病気だと感じれば病気になるし、気にしなければ病気にならずに終わる。大丈夫だと思っていれば大丈夫なのだ。

マイナスな発言は身体にとても影響する。以前青年会議所の集まりで、会議は他人の発言に対し否定せず「いいね」だけを発言という事をやった。こんなに気持ちの良い話し合い、何でも出来てしまうのではと思わせる非常にスムーズで明るい会議であった。

私はとりあえず否定から入るような人とは距離をおき、面倒なので会話も私からしない。ダメしか言わないダメ人間、いわゆる人の話を聞けない人、一緒にいてもストレス溜まる一方。ため息ひとつでやる気が失せる。ため息ひとつで自分の中にある邪気を人に移してしまうのだ。

また正気を逃がすともいう。整体師は患者の邪気をもらう事が、施術中によくある。確かにひとり施術終えると「うわ、邪気もらったな～」と自分の身体の力が抜けるような状態を感じる事もある。患者の悪い気を取り除く事、それも整体師としての仕事なのかもしれない。

ランニングや筋トレ等の運動でも、笑顔で「キツいっ！」といっている奴は見ていて気持ちいい。このように辛さを力に変えることができれば最高だ。

†40歳までに趣味を持つ

結婚して子どもも大きくなり、およそ人生の半分を過ぎる頃、「亭主元気で留守がいい」という言葉の通り、休みの日に家でゴロゴロされていては奥様も困る。子どもが小さければ、どこか遊びに連れていかなくてはならないが、中学高校生にもなれば部活などで、お小遣い以外のことで相手にもされなくなる。

さあ、困ったお父さん、できればパチンコなどギャンブルを趣味にしない方がいい。ゴルフ、テニス、ロードバイク、登山など身体を動かすことが良い。中には写真、旅行、演劇鑑賞、野球観戦、ドライブでも良い。そこには共通した趣味のお友達も出てくるはず。最初は話しかけるまでに勇気が必要だが、話してしまえば永遠と会話は続くことだろう。

私はランニング仲間、学生さんから年配の方まで全国にたくさんいる。大会などで一緒に走るだけの友達だ。終われば一杯飲んだりもする。普段からSNS上でのやり取りもあれば、LINEでも交換して、「こんど何の大会でますか？」など連絡をやり取りして、また一緒に走ることができる。

また私は仕事で年間100日近い出張でも、ランニングシューズとウェアは欠かさず持っていき、その地を知るために宿泊先を走る。そうすれば自然とその地のお客様とも、地域のことで会話が弾む。何故かこの頃の趣味は長続きするものだ。新しく始めることは、意外と腰も重い、人に勧められたものなど特に続かない。自ら飛び込んだ世界は、本当に好きでやりたい事だと思うので、一人でも実行し、長続きする。

ぜひ、早めに趣味を見つけて、ハマるように。私もまさか海外へひとりでマラソンに行くまでハマるとは思いも寄らなかった。本当に楽しい世界（趣味）を見つけたと思っている。

観たらハマる大学駅伝

かれこれ10年以上、お正月の風物詩である箱根駅伝には現地へ生観戦に行く。母校城西大学、そして付属高校の次男坊、地元大東文化大学の応援のためだ。

スタート8時は自宅ＴＶで見届け、往路はまず2、3区へ車を飛ばす。その後5区山登りへ車を走らせてもゴールは間に合う。やはり現地観戦は熱く面白い、ＴＶでは観れないモノも観れる。

母校の襷を繋ぐ20大学10区間、200人の学生ランナーは終始沿道の大声援を浴びる。毎年数々のドラマがうまれる。

†人間は誰でも必ず死ぬ

いつかは皆さん１００％お亡くなりになる。死なない人はいません。あたり前だが生き続ける人もいない。もしかしたら近々、不死の薬や治療が開発されるかもしれない。現に様々な細胞が発見されている。だが今を精一杯生きる、楽しむしかないと思う。

長生きの人は、本当に時間を大事にしている。終わりを決めて生活している証だ。「もしかしたら明日死んでしまうかもしれない」と思えば、今やれることをやれる。日々当たり前でいることに感謝している。

尊敬する地元の大先輩は毎年誕生日に、自身の証明写真を取るそうだ。いつ死んでも直近の写真が遺影になるからと仰っていた。そう言えばうちの祖父母の遺影も「いつの写真だろ」と思いながら眺めていた。昔はどこの家もそうだった。おそらく良い写真をご家族が探したのだろう。

終活とでも言うのだろうか、遺産相続だけでなく身の回りの整理が普段から出来ている人は長命だ。まだ若いのに同い年の友達も、公証役場に遺言を届け出している人がいた。万が一の際、知人などの宛名を作っておくという人もいた。年齢関係なく、いつ何があるかわからない世の中だから、準備されておくことに余念はない。なかなか想像つかないが、自分が死んだ後の身辺整理も、生前中にやっておくべきである。

私自身、今でも「あれどこへやった？」など、置き忘れ探す時間ほど無駄なことはないと思っている。身内の誰でもどこに何があるか、整理され知っておくことは単純だが、大事なことだ。

第四章

体温を1℃あげよう

†自分の平熱を知っているか？

日本人の体温はここ50年余りで平均1℃低下したと言われている。今はなかなか見かけなくなった、昔ながらの水銀体温計に赤い印が37℃のところをさしている、ここが平熱ですよというマークだ。

昔から元気旺盛な体温が37℃なのです。しかし現代人では37℃は微熱に入る体温かもしれない。朝晩でも1℃前後は変化する体温、当院の患者さんもほとんどが35℃代だ。おそらく35℃台の人は37℃の発熱で病院へ行っているかもしれない。

体温35℃代は、よく言われる「がん細胞」が活発になる体温だ。アレルギー症状も

【3つの冷え症タイプ】

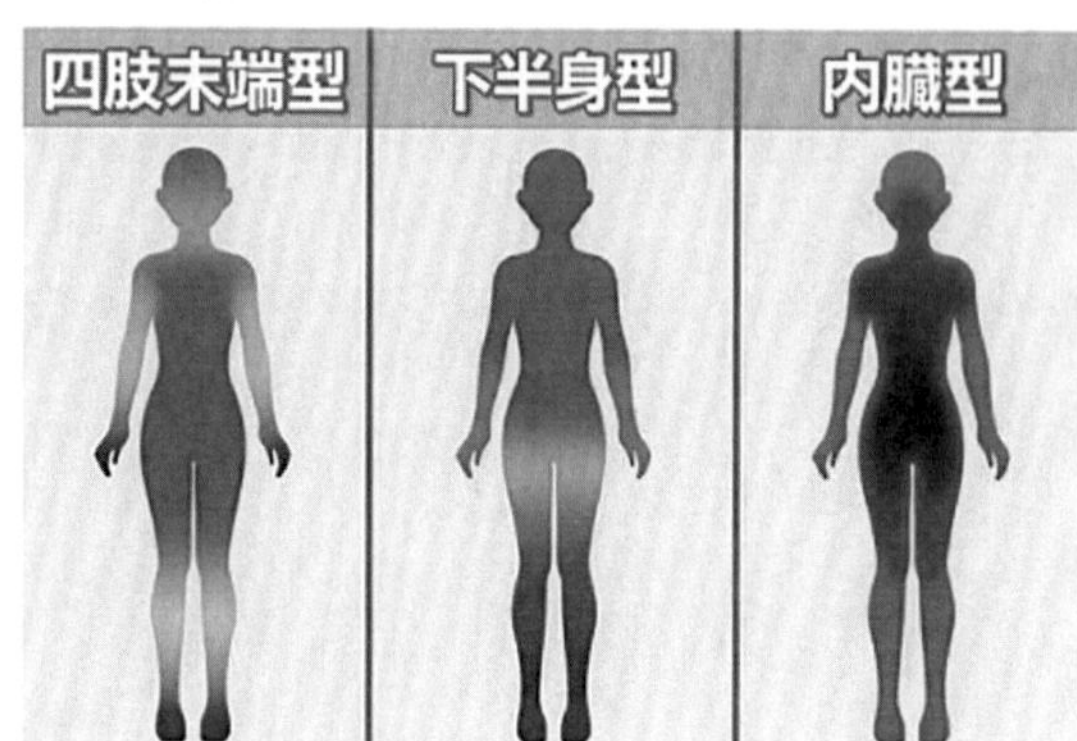

出やすく、自律神経の乱れ、代謝も免疫力も落ちる。それより驚きなのが、今まで数名34℃代の患者さんもいた、正直なところ、「このままでは死にますよ！」と伝えた。

確かに30〜40年前は、日本の死因ナンバー1、2は脳卒中や心疾患であった。今はあらゆる癌が死因の上位を占めている。やはりこれは現代の日本人の平熱体温低下が原因と言えるのではないだろうか。

熱っぽい時だけではなく、普段から何でもない時に検温する習慣を付けていただきたい。

†体重を計るより、体温を計れ

昨今のダイエットブームは目まぐるしい。お昼のＴＶでごぼうが良いと言えば、夕方のスーパーの棚からごぼうは消える。納豆といえば納豆の在庫はなくなる。糖質制限、健康器具、色々試して効果があった人は少ない。

毎晩お風呂に入る時、体重計に乗り「あ、１kg痩せた。」など言っていても、喜ぶことでもない。毎日の食事で1～２kgくらいすぐ変化する。頻繁に測っても仕方ない、計量は週１回程度で良い。

ならばスマホのように体温計を常に持ち歩き、色んな場面で検温したほうが良い。

食後、仕事中、運動後など、その日の体調確認であり、健康バロメーターだ。体温は一日数回計ってほしい。熱っぽい時だけ測っても、普段の平熱を知らなければ、高いのか低いのかすら分からない。

体温の変化は自律神経の乱れである。私も普段より体温が低い時はやはり調子がでない。なので、身体をいつも以上に動かしてみたり、冷たいものを口にしないようにしている。

ちょっとした心掛け、積み重ねが重要だ。

†身体には熱を入れよう

人の身体の筋肉の6割は下半身にある。臀部を含め腰から下、筋肉を動かして身体の熱を生産するので、やはり歩くことは重要である。「冷えは万病の元」という言葉もあるように、身体を温めること、入浴や運動などで汗をかくことをオススメする。汗をかくということは、身体が温まり、熱を下げようとする身体の反応である。私は「一日一汗」の習慣を推奨する。朝晩家の周りを10分歩くだけでも良い。ささっとお風呂から出てしまうような「カラスの行水」はもったいない、せっかくなら汗をかくまで入浴すべきである。

また、家の周りを毎日10分歩くだけでも、継続すれば（極端な言い方かもしれないが）、全く別の人生を歩むことになる。

年齢と共に発熱する力（自家発電能力）は衰える。これは誰でも仕方ありません。ならば今述べた2つの事は今日からでもやってほしい。早く寝たい気持ちもわかるが、良い眠りのために、もうお風呂で3分身体を温めたほうが、翌朝の身体の疲れ具合の取れ方は違う。

それに付け加え、腹巻き。昔から「お腹は冷やしちゃいかん」と祖父母から誰でも言われていたはず。今、お腹を触って冷たかった人、要注意。それだけお腹は冷たくなっているのだ。腸の動きが正常ではないのだろう。

夏でも腹巻きをしていた方が平熱は上がり体質は改善する。

†本当に体温アップで免疫力は上がるのか

そもそも免疫力の低い・高いは測定できないし、数値化されていない。細かく考えれば白血球のことで、リンパ球やT細胞とか色々な種類があるが、ここでは割愛する。

免疫力が強いか弱いかを、どうやって判断するのかといえば、単に病気にかかりやすい、怪我も治りにくい等であろう。簡単に免疫力を上げる薬はない。

しかし2018年遂に、本庶祐（ほんじょたすく）先生（京都大学名誉教授）が癌（がん）を攻撃する免疫細胞を発見してノーベル医学生理学賞を受賞した。そしてオプジーボという治療薬を開発した。これで放射線治療、抗がん剤などで苦しまず癌も簡単に克服できるかもしれない。

しかしこれは癌になってからの話で、癌に罹らないことに越したことはない。日本では冬によく半袖で歩いている外国人を見かける。寒くないのか、ジャンパーでも忘れたのかと。周りの日本人はマフラーしてコートを着て寒そうにしているのに。

そう、前でも述べたが平均して筋肉量が違うので、外国人は日本人に比べ体温が高いのだ。普通に37℃以上平熱があるのではなかろうか。

低体温が健康に悪いというのはご存知の通り、血行も良くないし、様々な不調をきたす。筋肉モリモリの外国人は見た目だけで元気そうだ。やはり適度な運動は必須になってくるし、筋肉を使うことにより自然と代謝も向上する。

日本政府も年金問題より、日本人の運動不足や体温問題を何とかすべきではなかろうか。

†温熱電位敷きふとんを使う

発売され早30年、西川の「ドクターセラ」、「ローズテクニー」は、人の身体へ一晩寝ながら勝手に身体へ熱を入れられる。体温維持でこんな楽なことはない。仰向けに眠れば、背中、お尻、ふくらはぎの触れているところは暖かい。人は正面からの熱は受け入れがたいが、背面からの熱は受け入れるようだ。

乾燥する電気敷き毛布のニクロム線電磁波と違い、温泉の効能と同じ遠赤外線効果で、身体の芯まで温まる。私も10年近く使っているが、冬の朝は、ふとんから出たくない、起きても身体がポカポカしている。夏は温熱不要なので電位で使用し、マイナスの電圧でふとん上に電界をつくる。ドロドロの血液をサラサラにするイメージだ。身体には何も感じないが、スイッチを入れ忘れた夏の朝は、気分的にだるい。

これは自律神経の問題かもしれないが、その辺も整えてくれるマイナスの電位です。電気を使う敷ふとんなど、年配の方だけかなと思うが、冷えや生理痛に悩む女子高校生にも販売したことがある。買ったのは、娘さん想いのやさしいお父さんだった。

このように眠りにルールはない、年齢関係なく良い睡眠をとった人が健康で元気になる。これは病気になってから使うものではない、厚労省認可の家庭用治療機なので寝ながら未病を防ぐ、病気の予防となる。

睡眠で免疫力のアップも期待できるのだ。

解熱剤の考えは間違いだ

体温が上がれば治る病気は９割あると、ある先生は言っている。いかに低体温が病をもたらすのかが分かる。

体温を上げる事で、９割の病気は防げるということ。確かに風邪をひいて身体を冷やす人はいない。熱が出るのも病原菌を退治するため、身体の防御反応である。たまには熱を出して、体内の病原菌を退治するのも良いのではなかろうか。

商品名：**ドクターセラ SSS**
シングルサイズ
（100cm × 200cm）
価　格：**200,000 円**（税別）

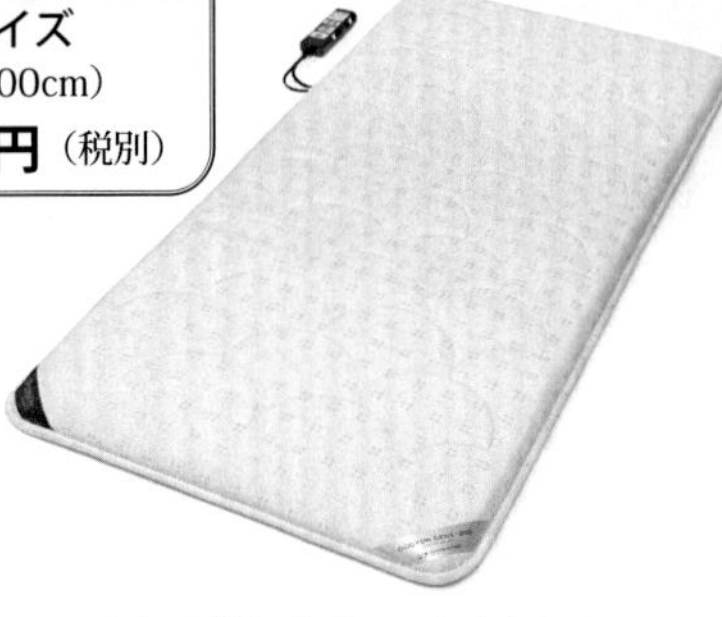

整体師がオススメする敷ふとん、イチオシ！

西川の温熱電位敷き布団・家庭用医療機器

別名「温泉ふとん」と言われ、ポカポカと寝ながら血行促進できる。電位の作用は疲れや肩こりをやわらげ、不眠や冷え症にも効果がある。

身体は温めた方が、本当によく眠れます。

†あと3分長く入浴しよう

お風呂に入っても体温を1℃あげるのは意外と大変である。「毎日42℃で5分の入浴を」と参考著書にした今津嘉宏医師は言う。人によって体質も異なるので、私は汗ばむ程度の入浴と皆さんに言いたい。5分で汗かく人もいれば、20分入っていても汗をかかない人もいる。我が家の湯船設定温度は41℃、私はすぐに追い焚きボタンを押してしまうが10分以上は浸かる。

今でもあるが、湯治。岩盤浴で有名な秋田の玉川温泉は予約も取りにくく、がん患者が何ヶ月も泊まり込みで行く。温泉へ行けば皆さん、いつも以上に湯船へ浸かる。

何故だろうと思うがそれが大事だ。

そう子どもの頃よく指がふやけるまで風呂で遊んだ記憶がある。また逆に肌が赤くなるまで入るのは危険、それは軽いやけどである。

睡眠中は体温は徐々に下っていくので、やはり良い睡眠をとるには、寝る前に多少でも体温を上げて身体を温めてたほうがぐっすり眠れる。

私もたまの休みの日にスーパー銭湯に行って色んな風呂に入り、サウナを繰り返して2～3時間ほどダラダラと休憩しながら汗だくになる。毒が出た感じで最高である。体重は水分が出て1kg以上は減るが、体温は1℃あがるかどうかだ。これも積み重ねで毎日続けていけば、体質も変わり体温平均値はあがるだろう。

家庭の事情もあり、なかなかゆっくりお風呂に浸かることは難しい人もいるだろうが、せっかくなのであともう3分でも長く入浴していただきたい。

†とにかく筋肉を使い、動かす

何度も述べているが、筋肉を使わないと身体の熱はうまれない。筋トレをしろ、筋肉をつけろと言っているのではない。日常生活の動作だけでは、残念ながら基礎代謝は不足している。人は何かしていたほうが脳も働き、同時に身体も動く。

近年、立ったままの会議・ミーティングが流行った。イスを使わない会議、長時間は疲れるので会議時間も短縮できる。とても効率的・画期的だ。私は何時に何処へ集合という会議は大嫌いだ。夜であれば終了後の飲み会付きになる。

街の会議はお店を閉めてからなので遅くなる、ならば朝会議をすすめる。皆さんも移動時間とお金、睡眠時間の無駄遣いだと気づいてほしい。私も若い頃はそういうのも嫌いではなかったが。

話は戻るが、今は車社会（ドアtoドア）、電車の駅も階段があるのにエスカレーター、仕事は残業と、身体を動かす環境や時間がなくなっている。これは日本の社会問題かと思うくらいだ。海外をみれば、週末金曜の夜から月曜の朝まで家族で別荘生活。朝晩はジョギングやジムで筋トレは日常茶飯事。

日本人も本来ならこうした時間、習慣をつくらなければならない。羨ましい限りだ。帰りは1つ前の駅から歩く、駐車場は出入口から一番遠くへ停める、仕事場・会社が許してくれれば革靴から運動靴へ変えたって良いと思うが如何だろうか。

第五章

人生の1／3は眠っている

† 早寝早起きで身体は変わる

私は寝るのが早い。22時には寝て5時前に起きる。朝のランニングのためである、最近では歩くことも多い。朝が早いので必然的に夜は早々に眠くなる、自分で言うのもなんだが、健康的な生活習慣だ。やはり人間は太陽と共に生活するのがベストではなかろうか。

また、日焼けしない程度に陽の光を浴びることで、交感神経が優位になり活動的になる。若者や都会の方々は夜更かし朝寝坊の傾向にある。逆に年配の方、田舎の方は夜も朝も早い。ことわざでもあるように早起きは「三文の得」である。

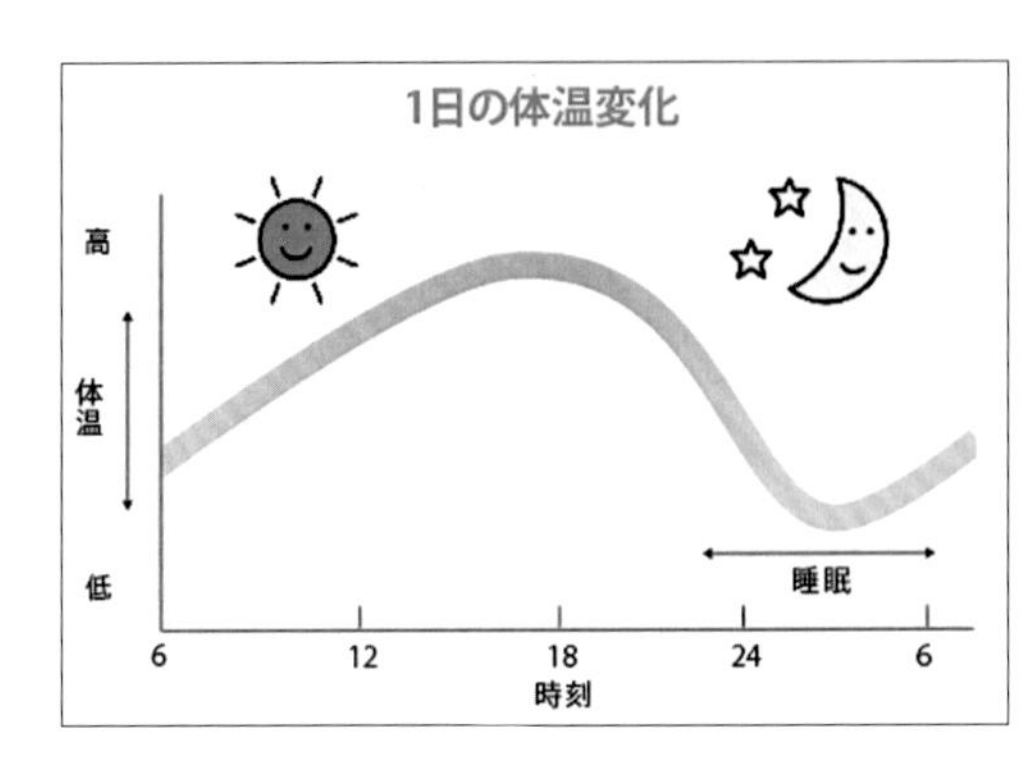

朝は頭が動かない、朝食を抜くなど人それぞれだが、早く寝ればすぐ解決する。私も飲食店時代は夜勤で朝帰り、午前中少し寝て昼には出勤という生活だった。たまに朝5時出勤とか睡眠のリズムは滅茶苦茶であった。ショートスリーパーと言われる人でも、休みの日に寝溜めである程度は解消される。

「睡眠負債」という言葉もあるように、睡眠不足は借金と同じで、コツコツと返済（寝溜め）していくことが健康維持にもつながる。色々な家庭事情もあろうが、休みの日くらい、お母さんだって朝寝坊しても良い。

†枕を合わせよう

患者さんから枕が合わない、起きると首が痛いなどよく聞く。近年改良され進化した枕が多く、あまり「寝違い」という言葉は聞かなくなったが、まだまだ3人にひとりは枕の悩みを持っているそうだ。中には1年間で10コ近く枕を買い替えたという方もいた。そこまでとなると枕以外に原因がありそうだが。

当店でもオーダー枕をつくれるが、家に帰ってご自身の布団で試すと合わないことは普通である。それは合わせた敷き布団やベッドが違うためだ。店内と寝室という環境の変化も影響する。枕が合っていても、肩の沈みが変わるだけで全然違う。素材は

ご自身の好みだが、枕の高さはしっかりと合わせないと痛い目にあう。
今はネットやＴＶ通販で簡単に買えてしまうが、靴でも同様、やはり実際に合わせて選ばないとお金の無駄遣いになってしまう。
お金をかけずに作る「タオル枕」をご存知だろうか。家に余っているフェイスタオルをぐるぐる巻いただけのモノだ。個人差あるがバスタオルだとやや厚い、フェイスタオル２枚重ねて作るくらいが丁度よい。きつく巻けば固くなり、緩く巻けば柔らかくなる。巻の数で高さ調整して、首の隙間に入れるだけ。後頭部は敷き布団につける。ストレートネック対策など言われてるが、私は肩こり首コリの方にオススメしている。

「タオル枕」でネット検索してみよう。最初は寝にくいが、後々楽になる請け合いだ。

†睡眠の質をあげよう

健康の3大要素ともいえる運動・食事・睡眠、日本人は睡眠が特に下手だと思う。未だに寝ずに働くことが偉いと思っている人がいる。眠れば良いのに寝ない。まさに時間の使い方が下手だ。政府も働き方改革で「残業は控えて」と言い出しはじめた。しかし実施しているのは大手企業の一部に過ぎない。

若年層は何をしているのか、夜更かしもあたり前のようにする。そして休日に寝溜め。睡眠負債という言葉もあるように、寝不足を補うことには間違いではない。

やはり普段から寝不足では質の高い仕事もできない。アスリートであれば、良いパフォーマンスも発揮できない。トップアスリートこそ、質の高い眠りにこだわっている。いわゆる休息だ。ぐっすり眠るためにあえて身体を動かして、疲れさせる。そして睡眠で疲労を回復させるという、メリハリのある生活を送っている。

例えば移動の多いMLB（メジャーリーグ）選手、アメリカ西海岸と東海岸、時差ボケは本当に大変らしく、眠れない事も多々あるようだ。相撲の世界でも稽古の合間の昼寝はあたり前。

また寝具選びはもちろん、睡眠1時間前には部屋を暗くし、TVやスマホを避ける。室温や光、香り、湿度なども眠りには影響する。カーテンの色、調光ライトなど、寝室環境は今一度見直しを。

†正しい寝姿勢とは

敷き布団の素材は個々の好みであろうが、沈み具合、支え具合が重要だ。低反発が良いとか、高反発が良いとか、皆さん寝て試さず、広告の上手なキャッチコピーでネットやＴＶ通販などで購入してしまう。

当店は平成最後の２月、西川３社（京都西川、西川産業・西川リビング）合併に合わせ、体験型のごろ寝フローリングスペースを作り、店舗改装リニューアルした。量販店のように、格安商品を並べて商品説明しているだけでは、お客様に納得して寝具をお買い求めしていただけないと思い、体験しやすい専門店に模様替えした。

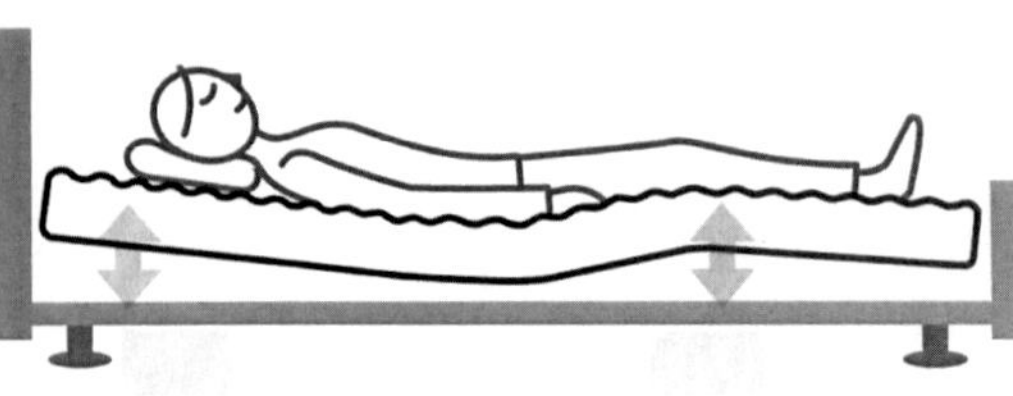

さて本題だが、立ったままの姿勢で横になるのがベストとなる。壁に踵とお尻を付けて立っても、頭は付かない人が殆どかと思う。無理に頭を付けると苦しいはず。その隙間が枕の役割であり、硬い布団で寝ている事と同じで腰部に隙間が出来たり、肩甲骨辺りの寝違いを引き起こします。逆に柔らかい敷き布団だと、お尻（腰部）が沈んでへっぴり腰のような姿勢で寝ていることになります。

現在ストレートネックの人が本当に多い。パソコンやスマホの時代だから仕方がない。私はストレートネックを枕で解決するより、敷き布団の角度で解決できるのではないかと考える。

例えば、背の部分と脚の部分を8～10℃だけ角度を付けてみる。このゴールデン角度であれば、どんな敷き布団でも楽な姿勢は保てる。睡眠中の呼吸もしやすくなり、足のむくみも解消可能だ。

布団の下に厚めの座布団でも入れれば簡単にできる。一直線で真っすぐという敷き布団の常識を覆すようだが、リクライニングベッドに寝てみれば一目瞭然である。

† 寝具が睡眠革命をおこす

ふとん屋だから言えることだが、何を使って寝ているか知らないお客さんが意外と多い事に驚く。毎日使っているのにサイズも知らない、掛ふとんが綿なのか、羽毛なのか、毛布なのかという事も。保温や吸湿発散性が素材によっては全く違い、眠りにとても影響する。

一時期流行った、低反発は触った指が気持ち

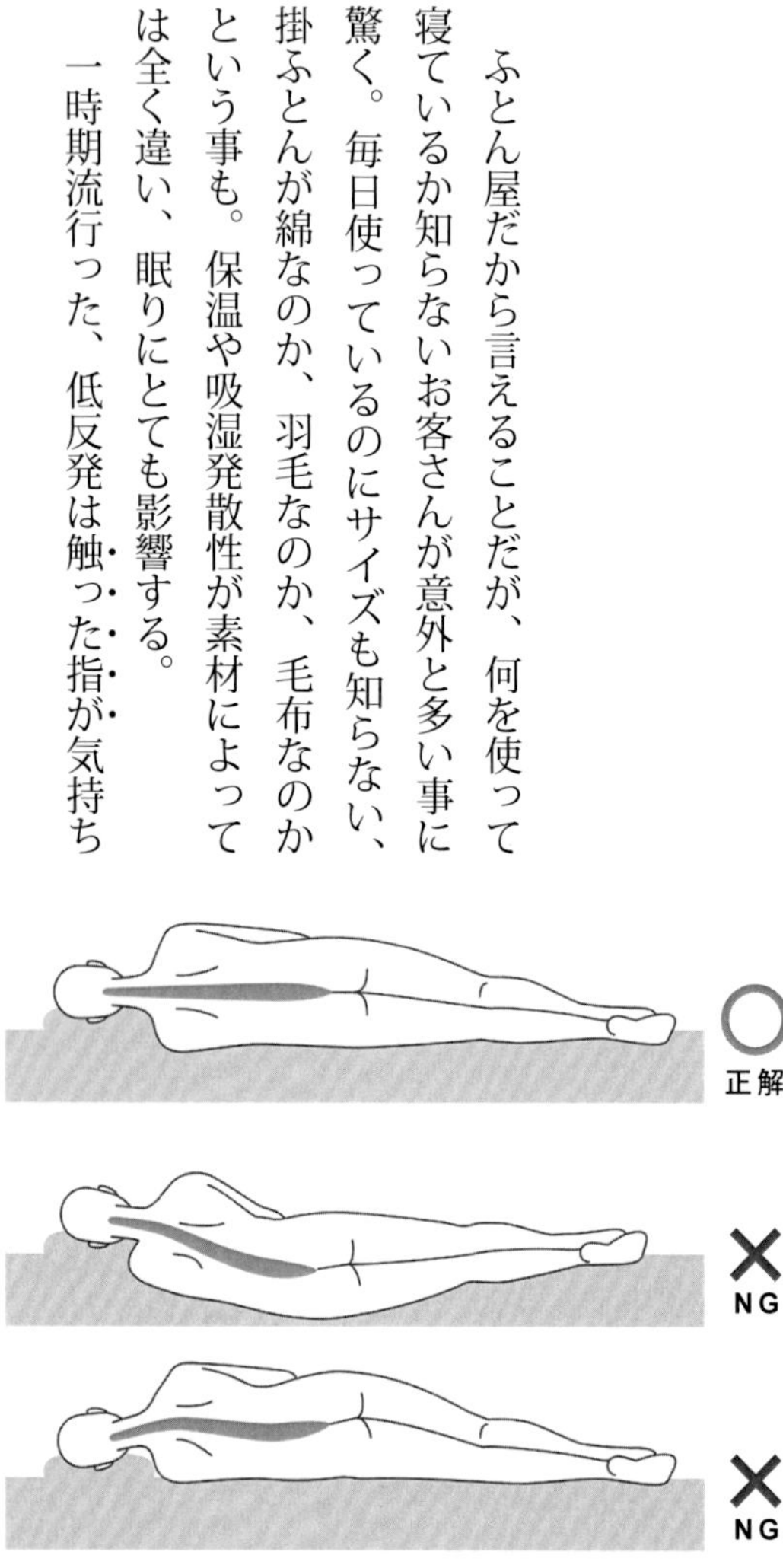

いいだけで、夏場はベタベタ、冬はコチコチに固まる。おすすめはやはり天然繊維、絹であったり、羊毛などだろう。アクリルなど化学繊維は肌に良くないので、あまりおすすめはしない。

寝床内気候が湿度50％、温度33℃が理想の快眠温湿度というデータもある。これを保てる寝具をお使いいただきたい。

夏の寝苦しさ、冬の寒さが快眠の妨げになる。あとは寝姿勢保持、仰向けと横向きで違うが、腰の部分に一番体圧がかかり、沈む。横向きだと肩の部分、なおかつ適度な支える力（持ち上げる力）が必要となり、敷きふとんの表層と中

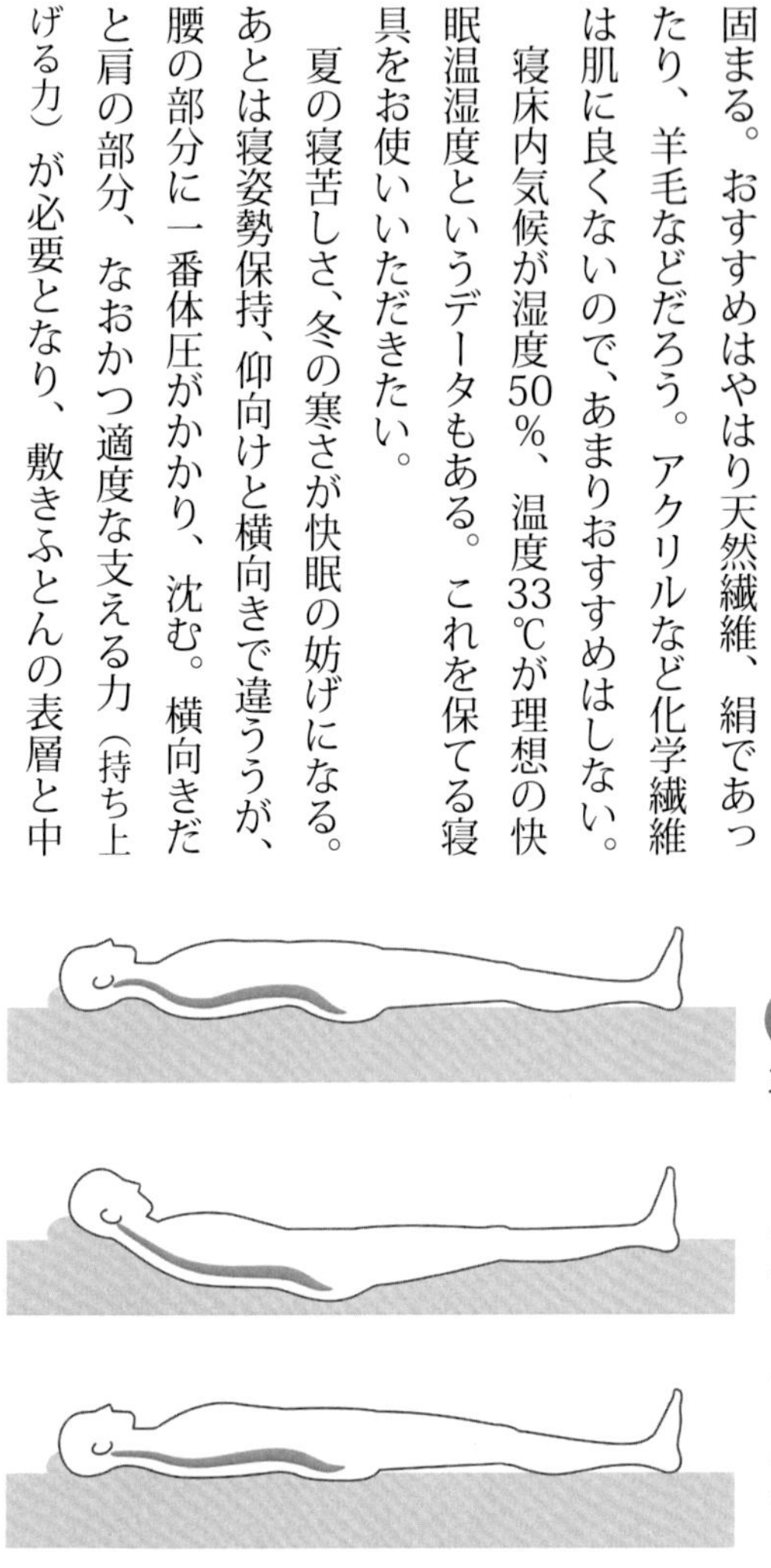

心層の固さの違いがあるものがおすすめ。

我々セラピスト（施術者）がいなくなる時代へ

ＩＴが進んだ平成も終わり、時代はＡＩ・ＩoＴが進んでいる。買い物やお会計はスマホ、声で電源がＯＮ・ＯＦＦ、車も自動運転、人がいらない時代が来る。

先日、某回転寿司に行った。入口はペッパー君が案内、注文はタッチパネル、寿司のお皿はテーブルまで自動でレールが運搬、最後のお会計の際、初めて店員と話した。キッチンでも機械が握っているかもしれないと感じた。

我々の仕事も機械に取られる日は近い。最新のマッサージチェアなんて絶妙な押圧加減である。ベッドに寝て、上から腕の機械が色々と身体を施術してくれる時代が来るだろう。そこにＳｉｒｉやアレクサで、何かしら質問には答えてくれるので、とりあえず会話にはなる。

しかし施術技術を越されてもＡＩには心がない。人の心を読めるＡＩも時間の問題だろうが、そこはまだまだ人間の勝ちだと思う。

†理想の寝室環境

各章で述べているが、年間約100日の出張で色々なホテルに泊まらせていただいている。

消臭剤のキツイ部屋、額縁が落ちてくる部屋、壁や天井が汚れている部屋、外でヒールの足音がする部屋、ビジネスなので快適と思うホテルは少ない。

幅の広いダブルサイズもあれば、宿泊者が同じところで寝るのでそこだけ凹んでいるベッド、ベッドマットの丸いスプリングを背中で感じるベッドもある。これでは良い睡眠はとれない。

では快適な寝室環境とは、どんなことなのか。まずは視覚、窓からの景色だろう。寝る時はカーテンをするから関係なさそうだが、カーテンの色も大事、薄い緑や青などオススメ。赤はＮＧ。ネオンの光やＴＶの光はご法度。

そして嗅覚、香り、匂い。寝る前、ラベンダーのアロマなどほんのり薄くしておくと良い。毎年、養豚場の近くのホテルは慣れてるが、いつもしんどい。また国際的ホテルも外国の方の香水は部屋にずっと残り、キツイ。

聴覚、私は睡眠中もちょっとした物音で反応してしまう。外の話し声、車の音、ましてやＴＶやラジオはＮＧ。最近の住宅は二重サッシでほとんど外の音は聞こえない。スマホ等もバイブで目覚めたりするので、別の部屋に置くことも重要だ。

睡眠の衣装・パジャマも重要。さあ寝るぞ！というスイッチが入る。以前、私も翌朝、そのまま走りに行けるようＴシャツで寝ていた。どうせ汗かいてすぐ洗濯するし、と思っていた。

素材はとても大事で、綿でも色々あるが、汗を吸収して発散してくれる生地、シルクのようなやさしい肌触りのよい生地は快適だ。ムレたり静電気のおこる生地はＮＧ。厚手のものより薄く肌になじむ素材をオススメする。

アンチエイジング

同じ60歳でも70歳に見えたり、逆に50歳に見える人は多々いる。単純に同い年で20歳も違うことになる。これは下手すると親子くらい差がある事になる。

何が違うのか、それは今までの生き方だ。運動不足、暴飲暴食、心の持ち方、ストレス等色々あるだろう。たばこ、飲酒、偏食、60年続けたらまるで別人になろう。

何でも好きなものは手に入る時代、遺伝もあるかもしれないが、ちょっとした心掛けでいくらでも予防はできる。また医療の進化でいくらでも治療はできる。

どちらが得か。

著者 山﨑太加幸のランニング②～

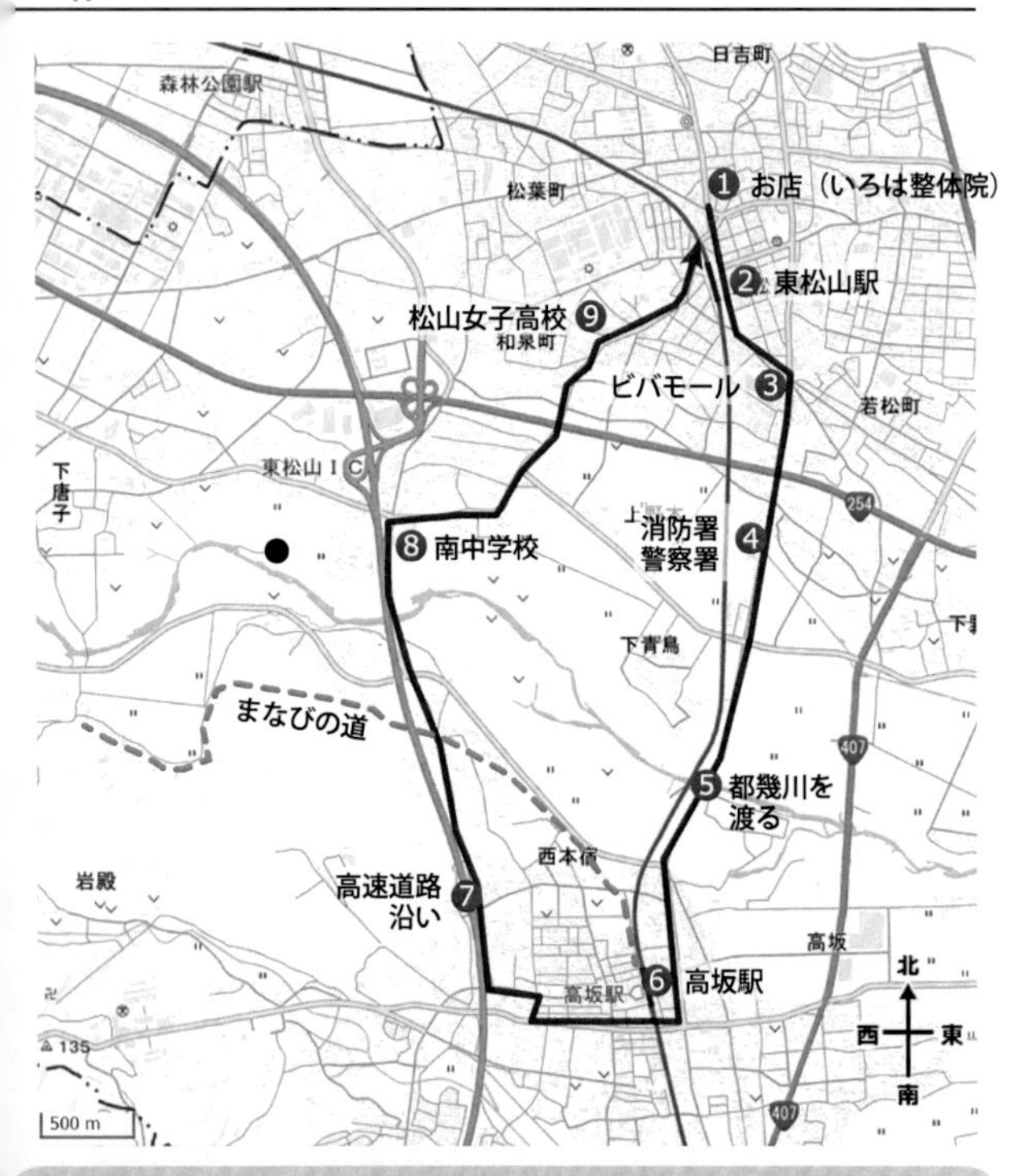

①お店（自宅）～　②東松山駅　～　③ビバモール　～
④消防署・警察署　～　⑤都幾川渡る　～
⑥高坂駅　～線路を渡り、モンプレジール（ケーキ屋）曲がる
⑦高速道路沿い　～　⑧南中学校を曲がる　～
⑨松山女子高校　～　お店（自宅）

11キロ周遊コース。ひと駅間走ると何か気持ちがいい。東松山を拠点にしている「GMOアスリーツ（実業団）」の選手もよくすれ違う。近年、市が「まなびの道」という高坂駅からセメント廃線を歩道にしたコースも安全で良い。

第六章

食べ物も身体に影響する

† 給食と病院食を真似よう

私は入院したことがないが、病院食は味がない、足りないなどよく耳にする。入院している知人などにお見舞いの差し入れでカップ麺を持っていくと喜ばれる。またＰＴＡなどで学校の給食をいただく機会が多かったが、毎回「え、これだけ？」と感じた。

予定外の来校者だから、先生の分を少しずつ分けてもらったのかな、なんて思ったが、子ども達も同じ量らしい。

いかに普段から味の濃いもの、多量を食べていたのか実感した。

腹八分目など言葉があるように、満腹は良くない。私は早食いなので、これもまた良くない。気づいた時はよく噛むようにしているが、何でも「カレーは飲み物」ばりに流し込んで終わる。だいたいお昼は3階の自宅キッチンで、はしたないが立ち食いで終える。

今はどこでも美味しいものが手軽に買えて食べられる時代だが、日本食の基本、「一汁三菜」は心掛けたい。偏食せずバランス良く栄養を摂ることが、健康な身体づくりだと感じる。

†1日3食は多い

1日当りの基礎代謝（必須エネルギー）は、一般的な成人女性で1200カロリー、成人男性で1500カロリー必要とされている。

あくまでこれは日常動作のみ、日中特に何もしない人であり、普通に仕事されていれば1．5~1．7倍、それに運動されていれば2倍以上の摂取カロリー（食事）が必要となる。

水泳選手など試合がある日はレースの合間に10回も食事をして1日合計1万カロリー程摂るらしい。車で言えばガソリンだ。身体が太る原因は単純に摂取カロリーが多いか、基礎代謝が低いかである。

ちなみにカツ丼1杯は1000カロリー近くある。菓子パンも1つ500カロリー位あるのもある。私はファストフード系のジャンクフードは絶対に摂らないし買わない。罪悪感があるが、たまに食べると確かに美味しい、もちろんその後の食事は摂らない。二郎系の山盛りラーメンとか、昔は写真を取りたくてよく食べた。あれは野菜中心だからと言い聞かせていた。

今はコンビニ弁当でも本当に美味しいし、惣菜も手作り感があり種類も豊富に揃っている。いかに普段から美味しいものを食べ過ぎか分かるだろう。昔から腹八分目という言葉の通り、バランスよくお寺の精進料理で十分である。

†プロテインの摂り方

スポーツをやらない人も、サプリメント（補助食）として摂っても問題はない。私も以前、ランニング後やジムで筋トレした後、大量の粉を買ってきてシェイクしてプロテインを飲んでいたが、体重が増えるだけであった。元々細身なので、筋肉が大きくなった証拠か、摂り方を間違えたかだ。

運動、筋トレ直後には効果的だが、今は女性が美容やダイエット目的で取ったりしている。ただのたんぱく質であり、乳糖が入ってたりするのもあるので、お腹をくだしたり、おならも臭くなる。

外国産のプロテインは筋肉に効くとか、あまり意識しないほうが良い。

バランスよく糖質とビタミンＢ１・Ｂ２も摂ることが必須である。鶏ササミを蒸してサラダに混ぜたり、納豆や卵のご飯だけで同じくらいの栄養（たんぱく源）は十分摂れている。

変に偏った食事より、普通の食事だけでも十分身体はつくれます。炭水化物寄りになったり、たんぱく質寄りにならないようにしよう。

†間違いだらけのダイエット情報

今やネットやTV、雑誌なので様々なダイエット情報が蔓延している。まずは筋トレをして、筋肉を大きくし代謝をあげることだ。お年寄りには筋トレではなく、筋肉を使うと言ったほうが良いか。なので最初は体重が増える人もいる。

サプリメントを摂ったり、食事制限して減るのは筋肉と水分なので、喜ぶのではなく、悲しむように。

さてよく聞く「リバウンド」が非常に天敵で、筋肉が減り、脂肪が増えることなので悪循環であり、なかなか痩せない身体となってしまう。そもそも痩せる必要がない人がダイエットに挑戦していることが多いような気がする。楽して痩せようとしても痩せないし、無意味なダイエットはストレスにつながり悪影響だ。

深夜の通信販売で健康器具、補正下着のようなものを、ついつい買って失敗したとか、なかなか痩せないとか、未だに信じている人もいます。

でもその痩せようという姿勢、努力はすばらしい。また減量とダイエットは違うので、太らなければいけない人もいることは事実だ。

†病気と食事

少し汚い話だが、口から入ったものは尻から出てくる。その間、身体の中では何が起きているのだろう。単純に胃で消化、腸から吸収、肝臓で分解など、人の臓器はよくできている。いくら技術、科学、医療が進歩しようが作ろうにも作れない。

さて食事で左右する大きな病気は高血圧、糖尿病辺りだろうか。50歳も過ぎれば3人に1人はどちらかの薬を飲んでいる。行くゆくは、そのツケが心疾患や脳卒中、そして癌などを引き起こす。

本当に世の中は美味しいものがまん延している。いつでも好きなモノを食べられる。

添加物、保存料のようなモノを避けた食事をオススメしたい。あと気を付けたいのが調味料、味を濃くしては危険だ。

そして食べて胃に入ってしまえば同じ気がするが、「野菜を先に食べる」こんな情報がまん延してきた。食後の血糖値を下げる（急上昇を防ぐ）、これはお医者さんも言っているので多少効果が認められているようだ。

野菜を先に食べれば痩せる、これに関しては鵜呑みにしてはいけない。

†空腹時間をふやそう

先にも述べたように、1日3食は多い。いったい誰が決めたのであろうか？お腹がググーと鳴ったら食べれば良い。諸説によると江戸時代までは1日2食であったようだ。明治に入り軍隊の人や、大工などの職人さんへ肉体労働だからと、昼も食べるようになったとか。また昭和に入り、当時日本人の必要とされるエネルギー2500カロリーを1日2食で摂るのは大変ということで3食になったとも言われている。

私も稀に夕飯を抜くことがある。食事はガソリンだから寝るために食事はいらないと自負している。そうすると翌朝の朝飯は何でも美味しい。お腹が空いてくるとイライラする人も多いが、寝るだけなら問題ない。

さて食後眠くなるのは、まず食事で血糖値があがり、インスリンが分泌され血糖値は下がる。この血糖値の上げ下げが眠くなったりだるくなる原因だ。

他にも食べすぎている（糖の摂り過ぎ）という理由もある。胃腸も食事の消化吸収で大変なのだ。すい臓からインスリンを分泌させたり、あまった糖分は肝臓に貯蓄したりと、内臓をやすませるという意味で空腹時間を多くとるのが理想と、医学博士の青木厚先生は言う。これにより様々な病状が改善され、「オートファジー」研究者であるノーベル生理学・医学賞を受賞した大隈良典は言う。例えば1日絶食すると、肝臓の体積は約7割に縮小するという。絶食時、肝臓では生命を維持するためにオートファジーが活発に行われているのであると。

これこそ内臓の疲れがとれ、免疫力も上がる、脂肪もなくなり、細胞がよみがえるなど良いことづくしだ。あまり推奨しないが朝食を抜いてみたりして、最後の食事から16時間以上あける。その中に睡眠時間を入れると1食抜くだけ。水は大丈夫、絶食中ナッツやチーズ、ヨーグルトもＯＫと青木厚先生。これを聞くと意外とできそうだが、いざやるとなると勇気がいる。

東松山名物「やきとり」

焼鳥ではない「やきとり」だ。いや、やきトンだ。豚のカシラ肉を味噌だれで食べる。

東松山駅周辺だけでもやきとり屋は50店舗程あるようだ。夕方になると商店街は煙が立ちこめ、食欲をそそる。市の観光協会や商工会がやきとりＭＡＰ、やきとり音頭まで作成してしまうくらいなので、観光客、市外の方へも人気だ。ビール１杯で２本くらい食べて次の店へ、３軒くらいはしごすれば丁度いい。やきとりの価格は同じだが、お店によって味噌だれの味が違う。

またお店によってルールは異なるが、お皿に味噌だれを塗ると怒られる。頼まなくても勝手にかしら串は焼いて出てくる。きっと知らないと驚くだろう。

東松山といえば「やきとり」もう少し国内で認知度が上がってほしい。

第七章

予防で医者知らず

†現代医療と東洋医学の違い

現代医療は死にそうな人を助ける救急医療に特化すれば、先進医療としては非常に素晴らしい。

多くの原因不明な症状、例えば肩が痛い、腰が痛いなどで、手術も治療も必要ない現代医療（西洋医学）にかかる人が多すぎる。「湿布と痛み止め薬を出しておくから様子を見て」と、どんな症状でも、患者さんにこの対応。

確かに間違いではない、人間の身体は元に戻るように、治るように出来ている。それをあたかも自分が治したかのように医師は治癒を待っているのだ。その治る力（免疫力）が強いか弱いか、早いか遅いかが、患者それぞれの個人差である。

単純に東洋医学とは予防医学である。患部だけでなく、人を診る。症状がでる、病気になってから罹るのではなく、何かおかしいなと感じた時から有効的である。無駄に医療費（現代医療）をかけるより、予防に徹したほうが国の莫大な予算も削れるのではなかろうか。

確かに我々整体院のように実費の全額自己負担より、コンビニ感覚でリーズナブルな3割程度の医院へかかる方が患者も負担がなく良いが、単なる肩こり腰痛で接骨院にかかるのは間違いだ。

極端な話、下手したら不正請求になってしまう。

†積極的に階段を使おう

そう言えば今でもそうだが、小さい頃から私は階段を一つ飛ばしで上がる。駅などでチンタラ階段を上がることは嫌いだ。小学生から始めたバスケットの影響か、無駄に飛び跳ねてばかりいた。何故かジャンプして天井を触る事が好きであった。

確かに脚力には自信がある。日常の生活習慣に階段の上り下りがある事は、将来的に非常にありがたく嬉しいことと思ってほしい。

私はあの過酷な富士登山競走の山頂コースも完走経験がある。富士吉田市役所を出発し高低差3千m、距離にして21キロを山頂がゴールの制限時間4時間半。今でも毎年富士山はひとりで登っている。いわゆる弾丸登山で、半日あれば終わる。

　何年か前は息子らが中3と高1の時に一緒に登った。彼らも部活もやっていたので五合目から3時間程度で登頂した。手ぶらでペットボトル各1本、今思えば凄い息子たちだ。

　階段を使う事は、足腰に対し本当に大事だと思う。特に大腿部の筋肉、膝に関係してくるところだ。人間の身体で臀部と大腿部は特に大きい筋肉群なので、動かして使わないと体内の熱の生産もできない。若い頃からエスカレーター慣れしてしまうと、歳取ってからツケが回ってくる。現在、そんな患者さんをたくさん見ている。

　自宅に2階があっても使わない人、逆に仕事などで毎日何度も階段を使う人、この差は歴然としている。日々スクワットしているか、しないかと同じ感覚だ。

†なぜ脈と舌を診るのか

漢方の四診は整体施術面では特に重要だと思っている。視て、嗅いで、聴いて、触れてと。私の初診は電話の声や応対から始まっている。そして駐車場での車の停め方、予約時間の遅早、店までの歩き方、カルテの書き方など、「え、関係ないでしょ」と思うかもしれないが、その人の性格や所作は身体に出てくる。

お医者さんのように、待たせるだけ待たせてパソコンだけ見てて終わりという診察は本当に無礼だと感じる。痛い部位、症状しか診ないのは、治療が出来ないからである。それは薬が処方出来ないからであり、薬を処方してなんぼの世界なのです。東洋医学は痛い部位、不調は何故そうなったのか、原因を追求する。全体像を把握し、痛い部位だけでなく人を診るのである。

他愛もない話の中に、原因というのは隠れていたりする。施術中、私は関係ない話をしているが、実は意味があるのだ。話し方でもそう、聞き出すテクニックも施術者は必要である。

†昔の常識は、今の非常識

昔、部活動中「水を飲むな、うがいだけにしろ」なんて昔よく言われていた。今では逆にどんどん水分を摂れだ。夏場の気温は昔と桁違いなので危険なのだ。

中学生の頃、部活動でよく「うさぎ跳び」をさせられた。今はそんな光景は全く見なくなった。どんな医学的根拠で身体に悪いのかよく解りませんが、やり方を誤ったスクワットなんかより、私は全然足首を鍛える（蹴力）には良い気がするが。

「せんべい布団は腰に良い」なんて言葉も昔よく耳にした。昔ながらの薄っぺらい綿の敷布団のことだろうか。先に述べたように、腰の沈み過ぎも良くないし、硬すぎて腰に隙間ができるのも良くない。今の健康寝具に比べたら、寝にくいのは確かだ。

さて２９８０円の「ロードサイドもみほぐし屋さん」をよく目にするようになった。いつも車が停まっているので、きっと繁盛しているのだろう。施術がハズレても２９８０円（税金と指名料を入れると4千円位かな）だからいいのか。１週間程度の社内研修レベルで現場に出ている人もいれば、昼間は接骨院に勤めて、夜はそちらでバイトなんて人もいるようだ。

逆に1万円するような施術で気功なのか、５分程度で身体も触らず終わるような整体もあるようだ。その時は「あ、治った」と思うらしいが、家に帰るとあれ、元通り。

このように整体って金額で選ぶものではない。どこ行けば良いかしらとか聞かれるが、行ってみないと私も分からない。施術を受けてみて、施術者と患者さんの相性となる。某有名タレントの整体は3万円らしい。施術内容ではなく付加価値なのだろう。

私も中谷美紀さんなど一流女優さんに、お話しながら下手だろうが肩を揉んでもらいたい。

百年以上続く老舗ふとん屋

僕が生まれる前は、現在の本町四つ角と呼ばれる所の近くにあった。小学生まではそこに住んでいた。ボットン便所で薪で風呂を沸かしていた記憶がある。

綿工場もあり、そこで布団を作っていた。昭和45年に現在のまるひろ通りに移転し、平成21年に道路拡幅により現在のところへ移った。創業から私で４代目の後継ぎだ。時代の変化で売るもの、やる事も変わるが、当時からの味（伝統）は、しっかりと引き継いでいきたい。

ふとん屋山﨑屋の店舗とその屋号

†がんになる2つの要因とは

いくら身体に良くないものを食べたり飲んだり、不健康な生活をしていても「がん」にならない人はたくさんいる。

がんの罹患は感染やウイルスによるものが3割近く占めているが、生活習慣に関することが一番大きな要因だ。薬や手術で治る時もあるが、その2つの要因の答えを言ってしまうと「冷え」と「ストレス」しかない。

昔から冷えは万病の元というが、その通りだ。がん患者が泊まり込みでよく行く秋田の玉川温泉は湯治で有名だ。来場の8割はがん患者と言われ、ステージ4の人もがんが消えたとも聞く。身体を温める事は治療であり、がん細胞は熱に弱い。

一番の大敵は見えないストレスであり、ストレスのない人なんていないが、自分でも気づかない事が多い。人間関係、仕事も家庭も色々ある。簡単に言えば、好きなことだけやって、リラックスした環境にいることだ。

今の御時世ではなかなか無理だが、いかにその時間を多く持てるかが大事である。

†上手に医者にかかろう

何かあればお医者さんで、長時間待たされて、痛いところも顔も見ずにパソコンだけ見てる、「とりあえず薬だしておくから様子見て」と3分で終了。「歳だから仕方ない」なんて言われる人をよく聞く。

典型的な西洋医学な対応であるが、間違いではない。症状を緩和して、完治するのを待っているのだから。骨折だってひどくなければ自然にくっつくし、傷口もひどくなければ自然と止血し、かさぶたができる。これらは医師が何か処置することであろうか？　そう、ご自身の免疫力、自然治癒力である。

膝によく水がたまって痛いなんて聞く。曲がらないような人は、腫れ上がった膝の水（関節液）を抜けば多少楽になります。原因は膝内の炎症や半月板等の損傷が殆どなので、その水が薬だと思って、本来は抜かない方が良い。炎症等が収まれば自然と引きます。ようするに、その免疫力が強いか弱いか、早いか遅いかなので、すぐ医者にかかるより、免疫力を上げることに注視したほうが良い。

何度も述べているが、医者に余計なお金を払わなければ、莫大な国家予算（医療費）を他に回すことだって可能になるはず。なので病気になってからでは遅く、ならない努力が今後は必要となってくる。それを広める事が我々施術家、治療人の役目である。

†情報のアップデート

近年のスマホは1年使えばもう旧型、より優れたものが新たに発売され、全くついていけない。指紋でパスワード解除で凄いと思っていたら、今は顔で解除。私の使っているiPhone6は古くて更新ができなくなった。必然的に買換えを余儀なくされる。まだ使えるのにアップル社の上手い商法だ。

色んなスマホアプリの更新（アップデート）のように、自分の知識も更新が必要だ。いつまでもせんべい布団がいい、酢を飲むと良いなど、時代錯誤もいいとこだ。では現在世界の人口はどれくらいかご存知かな。なんと2019年時点で77億人だ。

60億人くらいと思った人は2000年頃から一部の脳がアップデートされていないことになる。

愛用している方に失礼かもしれないが、当店でも未だに【木綿ふとん】の打ち直しの依頼がある。羽毛ふとん、凸凹マットレスをお勧めするが、聞く耳を持たない人が多い。重いし、ホコリがたつし、干さないと湿気が逃げないなど手間がかかる。最近の言葉ではカセットテープで音楽を聴いていたような、昭和の遺物とでもいうのか。最近は日中、ふとんを干す家も見なくなった。

新たな情報収集、更新を怠ることが老化にもつながる。歳を取ると昔話が多くなるように、現在の見出しニュースしか目がいかなくなる。少しでもその奥の真相を追求していただきたい。当院のお客さん80歳をとっくに超えたおじいさんは、毎朝1時間以上かけて新聞を読んでいるらしい。おしゃべりしていても僕が勉強させられる。このスマホやパソコンの時代に、活字を読むことは素晴らしい。新聞の時事は多少時差はあるが、事の真相はやはり新聞記事である。あまり見かけなくなったが、朝の通勤電車で新聞を広げてる人には敬服してしまう。

過去の患者さんとのエピソード①

世界で戦っているアスリートも何人かお越しいただいたことがある。

フランスで武者修行して、ツールドフランスのような自転車レースの経験がある人、さぞかし身体もお手入れされていると思いきや、脚の長さもバラバラでビックリした。

ドイツの下部リーグで挑戦中のサッカー選手、シーズンオフで帰国中に怪我のメンテナンス。将来を見据えサインをいただいた。

アームレスリングの日本チャンピオン、脚のような腕で、こんなに太くなるのかという腕だった。

その他、インターハイ、国体、実業団野球、甲子園球児など様々な分野で活躍しているアスリートを診てきた。

†生涯スポーツをみつけよう

何歳になっても身近にできる運動、ウォーキング、テニス、ゴルフ、ダンス、水泳などよく耳にします。多少の出費は仕方ないにしても、仲間同士でワイワイできる方が楽しく続く。うちの両親は60歳位まで一緒に社交ダンスをしていた、父はまだ現役で続けている。

人はやはり身体を動かしていたほうが病気知らずで調子がいい。単純だが血流を良くする、筋肉を動かすので身体があたたまる、これに尽きる。

運動というのは、ちょっと汗ばむ、少し息が上がる程度が理想。行政関係でも無料で地域の活動センターなどで健康体操やヨガなど定期的に開催している。お年寄りばかりかもしれないが、積極的に参加した方がよい。コミュニケーションの場でもあるので一石二鳥だ。最初は腰が重いが、行ってしまえば和気あいあい楽しくできる。

私の生涯スポーツはお題の通り「ランニング」であろう。密かに60歳になるまでは、毎年1回はフルマラソンをサブ4（4時間切り）でゴールするという目標を掲げている。これは1キロを5分半程度のペースで走り続けなければならない。うろ覚えだが35歳くらいからおそらく続いている。

年々キツくなってきているのは事実だが、モチベーションを上げるためにはこうした目標設定も必要だ。一人箱根駅伝を10年以上続けておられる尊敬する師匠、ミスター青春こと稲原都三男氏は御年70歳、毎年あの箱根駅伝の全区間217キロを走っている。

私が70歳になった時、やれるかと言われても現時点で自信がない。私も80歳くらいまでは制限時間内にフルマラソンを走り切る体力でいたい。私のフルマラソン自己ベストは3時間27分、これは1キロを平均5分切って走り続けなければ達成できない。そして100キロマラソンも10時間46分で完走している。

またいつかこれを超えられる日が来るのか。共に今では考えられない過去の栄光だ。

過去の患者さんとのエピソード②

午前中は接骨院へ行き、午後は当院へ来るという、施術中毒の方がいた、しかも毎日。

正直ちょっとやり過ぎである。人によっては施術を受けない方が自己治癒力があがるという話もある。やはり週1回くらいが無難だろう。また頭痛持ちの方、「今日は頭痛になるだろう」で市販の頭痛薬を先に飲んでしまう。服用法を間違えている、まさに薬害だ。

痩せたい、背を伸ばしたい、凄い要望を言ってくる方もいる。施術をしながらアドバイスを伝える程度しか出来ないが、人任せの考えを直して欲しい方もいる。私が施術すれば痩せる、背が伸びるということは、まずあり得ない。

親子で来院されていた方は、やはりDNAを引き継いでいるのか、身体の骨格も、クセもそっくりであった。途中で「あれ、今親御さんの施術だっけ？」とうつ伏せでいるとどちらか分からなくなる時もあった。

百人いれば百通りの身体がある。ちょっと触れただけで痛いという方、ぎゅーと押しても何も感じないという人など様々だ。また小学生などは手技によるがくすぐったがりする。

おわりに

住みよさランキング県内1位（２０１７年）の東松山市で生まれ育ち、家業を継いでいる今、時代の流れは本当に早い。しかし地元の商店街ではゆったりとした時間が流れている。昔ながらの活気は無くなりつつあるが、なんだかホッとする空間である。

私は暇を見つけて本を読むのもなかなか難しいので、通勤通学・帰宅の電車が読書時間になることは、本当に羨ましい。移動時間を有効活用出来ることは、とても素晴らしいことだ。自分が運転の車移動ほど無駄な時間はないと思う。運転中は他のことが出来ないので、ラジオや音楽を聴く以外ない。運転手がいるような身分になれば別だが。また電車や空き時間にスマホでゲームする人とか、時間の使い方を改めたほうが良いと思う。今では電車でスマホをイジっていない人を探す方が難しい。

私も月に2～3冊の著書を読むように心掛けているが、まさか自分で本を書いて発行するとは夢にも思わなかった。これも親戚である「まつやま書房」様の一言、「出してみれば」のお陰である。心より御礼を申し上げる次第です。「出版で町おこし」と、地元愛を語るが、SNSの時代に、あえて文字を書く、本を読むということは良い事かもしれない。いきなりあの分厚い本を書けと言われても、何から書いて良いかわからないのは普通である。私はブログ以下のTwitter感覚で思いつきの箇条書きの連続、書き溜めである。塵も積もれば山となる、何事も積み重ねだ。コロナ禍もあり、最終的に令和元年6月頃より執筆を始め、出版まで約1年半かかった。

本題に戻り、あたり前の事を実行することが、いかに難しいか。そしてあたり前がどれだけ幸せに感じるか、人は弱いものですぐに諦めてしまい、続けられない。だから と言ってこれをストレスに感じてはいけない。病気になってからでは遅く、予防する時代のパイオニア（先駆者）となっていただきたい。普通でいられることが、どんなに幸せか、贅沢せずにいつも通りいられることに感謝する気持ちを大事にしよう。

走る整体師　山﨑太加幸

令和3年1月吉日

■参考著書

石原結實『「体を温める」と病気は必ず治る』三笠書房　２００３年
齋藤真嗣『体温を上げると健康になる』サンマーク出版　２００９年
大谷　憲『免疫力を高める眠り方』あさ出版社　２０１０年
吉村尚美『「平熱３７℃で」病気知らずの体をつくる』幻冬舎　２０１５年
安保　徹『人が病気になるたった2つの原因』講談社　２０１０年
今津嘉宏『89．８％の病気を防ぐ上体温のすすめ』ワニブックス　２０１４年
青木　厚『「空腹」こそ最強のクスリ』アスコム出版　２０１９年

著者紹介

山﨑太加幸 やまざき・たかゆき

昭和49年、埼玉県東松山市生まれ。
城西大学経済学部卒業、
（株）すかいらーく入社、
日本医療整体学院卒業
現在、いろは整体院、
ふとん山﨑屋の2つの顔を持つ男。
街づくり活性化団体NPOぶらっと
東松山の代表理事も務めている。

ふとん山﨑屋〔いろは整体院〕
〒355-0016　埼玉県東松山市材木町19-27
Tel.0493-22-2724（整体予約0493-22-0168）

ふとん屋整体師の具体術
健康に向かって　―健康な睡眠と長生きの秘訣―

2021年2月15日　初版第一刷発行
著　者　山﨑太加幸
発行者　山本正史
印　刷　わかば企画
発行所　まつやま書房
〒355－0017　埼玉県東松山市松葉町3－2－5
Tel.0493－22－4162　Fax.0493－22－4460
郵便振替　00190－3－70394
URL:http://www.matsuyama－syobou.com/

ISBN 978-4-89623-150-2 C0275